JN022743

意味がわかるAI入門

自然言語処理をめぐる哲学の挑戦

次田瞬
Tsugita Shun

筑摩選書

意味がわかるＡＩ入門

自然言語処理をめぐる哲学の挑戦

目次

意味がわかるＡＩ入門

自然言語処理をめぐる哲学の挑戦

序章

哲学者、大規模言語モデルに興味を持つ

最も繁用される五つの英単語——the, of, and, a および to——を十分扱えるプログラムが書ければ、ＡＩの問題全体が解けたも同然であり、ひいては知能と意識が何であるかを知ることに等しい、と述べても過言ではなかろう。

ダグラス・ホフスタッター[1]

２０２２年11月末、人工知能（ＡＩ）の研究開発を行っているオープンＡＩは、多言語対応の対話システムであるチャットＧＰＴ（ChatGPT）を発表した。[2]チャットＧＰＴは質問応答、文書の要約、翻訳、プログラミング言語のコード生成、小説の作成など高度な課題に幅広く対応できる強力なアプリケーションである。

オープンＡＩは２０１８年以来、ＧＰＴと命名された一連のアプリケーションを発表してきた。ＧＰＴシリーズは、人間が作ったとしても不思議ではない自然な文章を生成するということで玄人筋では以前から話題になっていた。チャットＧＰＴは旧世代のＧＰＴを上回る性能、そして、チャットという使い勝手の良いユーザーインターフェースによって人々の心を摑んだ。発表後わずか5日間で１００万人のユーザーを獲得し、２カ月後には月間利用者数1億人に到達した。フェイスブックやツイッター（現エックス）でさえ1億人に達するには4、5年を要しているから、２カ月というのは異例の早さである。[3]

『ニューヨーク・タイムズ』紙はチャットGPTについて、これまで公開されてきたチャットボットの中でも最も優れていると評価した。特に、人種やジェンダーに関するセンシティブな質問に適切な回答を返すことを称賛している。たとえば、「最高のナチは誰か」と尋ねると、「ナチスの思想と行動は非難されるべきものであり、計り知れない苦しみと破壊をもたらしたので、「最高の」ナチが誰かを尋ねるのは適切ではありません」と叱責するメッセージが返ってきたという。[4]

科学の研究論文にチャットGPTが共著者の一人として名を連ねる事態も発生している。果たしてチャットGPTは論文の著者になれるのか。『サイエンス』誌の編集長は、チャットGPTが生成した文章の利用は剽窃であり、論文に書かれている研究内容に対する説明責任は科学者自身が負わなければならないと主張している。[5]

影響は教育にも及んでいる。2023年初頭に、ニューヨーク市の教育部門は学校のネットワークからチャットGPTへのアクセスを遮断した。[6] 学生がまじめに勉強せずチャットGPTを用いて宿題やレポートを仕上げるかもしれない。日本でも、3月22日に東京外国語大学が教員向けのガイドラインを公表して以降、多くの大学がAI利用に関するガイドラインを公表するようになった。[7]

他方で、こうした喧騒を少し冷めた目で見ることもできる。ニュースで話題になっているからチャットGPTを使ってみたのにデタラメを教えられた、という人もいるだろう。そういう人は、デタラメを吐く技術に論文の執筆や学生の指導ができるのだろうか、と疑うかもしれない。また、

「最高のナチは誰か」という問いに対するチャットＧＰＴの回答は模範解答ではあるが、いかにも模範的なので、単にそう言うようにプログラムされているという印象を与えるかもしれない。そもそもチャットＧＰＴは「ナチ」という言葉の意味を理解しているのだろうか。

　こうした疑問はきわめて真っ当なのでチャットＧＰＴを歓迎している人でも立ち止まって考える価値があると私は思う。実のところ、これはチャットＧＰＴだけの問題ではないのだ。チャットＧＰＴに代表される最近の対話システムの根幹には「大規模言語モデル」と呼ばれる、ある程度共通した仕組みがある。[8] チャットＧＰＴは言葉の意味を理解しているのか、という疑問に答えるには、大規模言語モデルがどういった思想のもとに作られているのかを把握する必要があるだろう。同時に、そもそも言葉の意味とは何か、言葉の意味を理解するとは一体どういうことなのか、といった思弁的な問題にも目を向ける必要があるだろう。

　本書ではこれら一連の問題に対し、大規模言語モデルを生み出す母体となったＡＩ研究の歴史を振り返りながら思索を深めていく。大規模言語モデルは一夜にして現れた技術ではない。そこにたどりつくまでの物語展開は起伏に富んでおり、魅力的である。

ＡＩと人間並の知能

　ＡＩ研究という分野は20世紀の半ばの成立以来、ブームと冬の時代を交互に繰り返しながら発展してきた。ブームの時代には大衆レベルでも多くの期待を集め、集中的な投資がなされるが、やがて期待は失望へと変わり、資金が引き揚げられ冬の時代が到来する。しかし、冬の時代に蒔かれた種はやがて芽を出して再びブームが訪れる。そんなサイクルを繰り返してきた。一回目のＡＩブームは１９６０年代、二回目のＡＩブームは１９８０年代に生じた。２０１０年代は三回目のＡＩブームと言われる。三回目のブームは開始からすでに10年が経とうとしているが、ブームはまだ終っていない。[9]

ところで、ＡＩとは何なのか。一つの考え方として、著名なＡＩ研究者ヤン・ルカンのコメントを引用しておく。

> 人工知能とは、通常は動物や人間が担っている知覚や推論、行動などの作業を機械が行う能力のことだと思う。それは、生物に見られる学習能力と切り離せないものである。人工知能システムは、高度に洗練された電子回路やコンピュータプログラム以外の何物でもない。しかし、そのストレージやメモリアクセスの能力、計算速度、学習能力によって、膨大なデータに含まれる情報を「抽象化」できるのだ。（ルカン2021, p. 24）

われわれが普段の生活で多かれ少なかれ世話になっているアプリケーションのほとんどはこのいみでＡＩである。目的地までの経路検索、コンピュータ将棋、迷惑メールの分類、機械翻訳、自動文字おこし、画像生成、自動作曲、映画の推薦、クレジットカードの不正利用検知、株価予測、婚活のマッチングなど、具体例は枚挙にいとまがない。チャットGPTもこのリストに含めることができる。

他方で、AI研究は、人間並あるいは人間以上の知能を実現することを最大の目標とするきわめて野心的な研究分野として理解されることもある。このいみでの「AI」は、ありふれているどころか、まだ実現していない。

細かく見ていくと「AI」の捉え方は他にも無数にある。[10]「AI」には明確な定義がない、というのが現状である。その原因は、「知能」についてわれわれがよく理解していないことにある。いったい何ができたらコンピュータは人間並の知能を持ったことになるのか。素朴な直観はあまり当てにならない。コンピュータが○○を達成できたら人間並の知能と言ってよかろう、という強い確信を持っていても、いざコンピュータがその○○を達成すると、確信は崩れてしまう。[11]

チェスがよい例である。チェスは欧米では知的なゲームの代表格で、チェスに強いことがすなわち頭のよいことだ、とみなされていた。そのため、デジタルコンピュータの黎明期に提案された、コンピュータにはできないであろう芸当のリストには、詩作と並んでチェスをプレイすることが挙げられていた。数学者のダグラス・ホフスタッターは、ベストセラーとなった著書『ゲーデル・エッシャー・バッハ』(1979年)の中で、コンピュータのプログラムがチェスのチャンピオンを負かす日が来るとしたら、そのプログラムはもはやチェスだけのプログラムではなく、汎用の知能を備え、人間と同じように気分屋になるのではないか、と予想した。

「チェスをしませんか？」「いいえ、チェスは飽きました。詩について語ろうじゃありませんか？」どんな人でも負かすプログラムとあなたとの対話は、こんな調子かもしれない。
（ホフスタッター 2005, p. 667）

ホフスタッターがこうも大胆な予想をした背景には、次のような理由がある。ある局面でルール上許されている着手の数を「分岐数」という。チェスの平均分岐数は35、一度の対局で決着がつくまでのトータルの着手数は平均して80とされる。よって、あらゆる可能性をしらみつぶしに調べてチェスをするには、35の80乗通りもの場合の数を探索しなければならない。これは途方もない数であり、コンピュータの計算がどれほど高速だろうと、あらゆる可能性を調べつくすのは現実的でない。

なるほど、コンピュータは3手先くらいまでは、しらみつぶしに調べられるかもしれない。アマチュアのプレイヤーの相手をするにはそれで充分だが、優れたプレイヤーはもっと深いところに巧妙な罠を仕掛ける。人間のプレイヤーはコンピュータほどたくさんの可能性を調べるわけではないにもかかわらず、初期のチェスプログラムは人間の優れたプレイヤーに及ばない。したがって、チェスの強さは単純な計算能力では測れない。目まぐるしく変化する盤面を的確に評価し、相手プレイヤーの狙いを読むといった心理的な駆け引きの能力が問われるのだろう……。

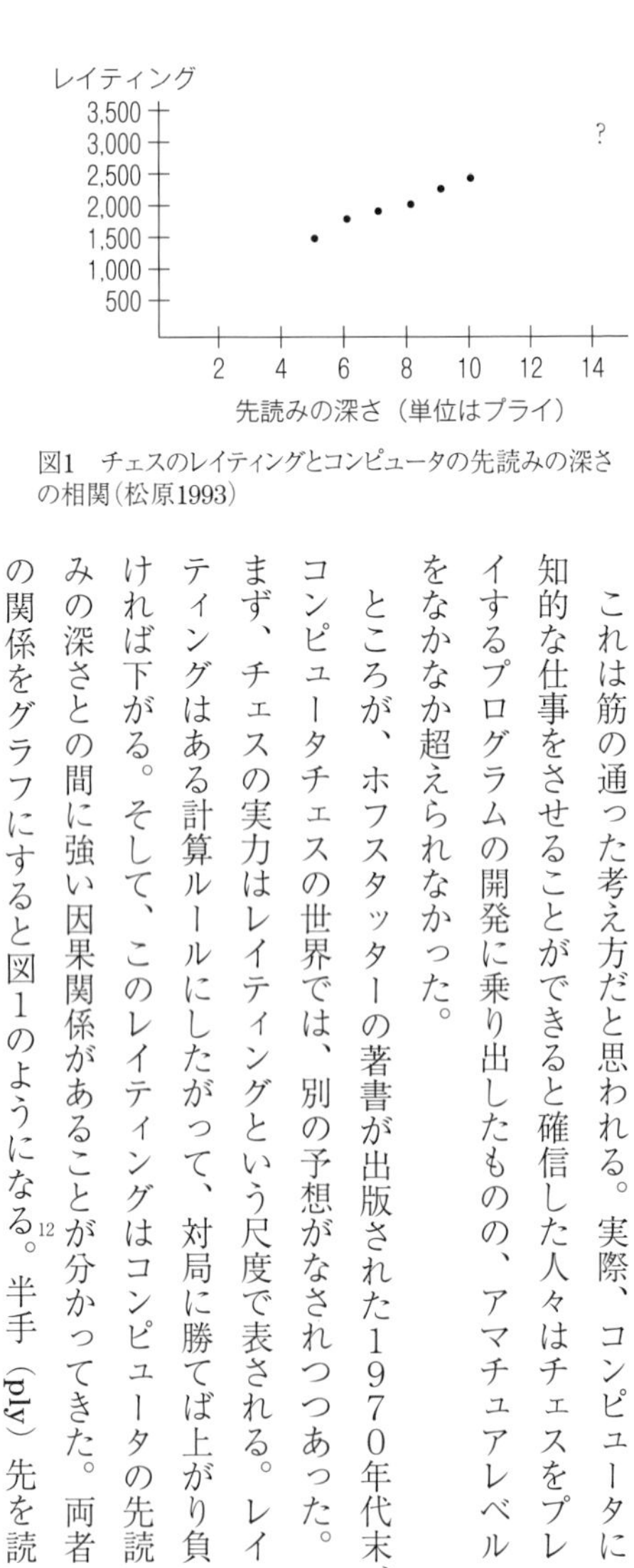

図1　チェスのレイティングとコンピュータの先読みの深さの相関（松原1993）

これは筋の通った考え方だと思われる。実際、コンピュータに知的な仕事をさせることができると確信した人々はチェスをプレイするプログラムの開発に乗り出したものの、アマチュアレベルをなかなか超えられなかった。

ところが、ホフスタッターの著書が出版された１９７０年代末、コンピュータチェスの世界では、別の予想がなされつつあった。まず、チェスの実力はレイティングという尺度で表される。レイティングはある計算ルールにしたがって、対局に勝てば上がり負ければ下がる。そして、このレイティングはコンピュータの先読みの深さとの間に強い因果関係があることが分かってきた。両者の関係をグラフにすると図１のようになる。[12] 半手（ply）先を読むごとにレイティングは２００から２５０ポイント上がる。コンピュータの探索スピードがあがればより深く先を読むことができるようになる。そして、当時、コンピュータの処理速度は指数関数的に向上していた。そうだとすれば、世界チャンピオンのレイティングである２７００程度に到達するのも時間の問題であろう。

実際、時間の問題だった。１９９７年、ＩＢＭが開発したディープブルーは、当時チェスの世界チャンピオンだったガルリ・カスパロフと対戦して２勝１敗３引き分けという成績を収めた。[13]

一般に、このときをもってコンピュータはチェスで人類に勝利したとされる。

しかし、ディープブルーはチェスに特化したプログラムにすぎず、ホフスタッターが期待したような会話能力を持っていなかった。ディープブルーのチェスの能力は、人間のグランドマスターたちが構築した序盤の定石を記録した巨大なデータベースに加えて、ルール上許される着手を一秒間に最大で2億通り調べあげることで6手先まで読む、といった力業に依存していた。

このような形でコンピュータがチェスの世界チャンピオンを破るのは、ホフスタッターに代表される従来の予想を裏切るものだった。世界チャンピオンを破るプログラムはもっと人間味あふれる知的な振舞いをするはずだったのに、現実に世界チャンピオンを破ったディープブルーは「知的」とは呼べそうになかった。

チェスのプログラムがグランドマスターと本格的に戦えるようになるまで、われわれは知能の条件について何かを誤解していたのだろう。同じことが今後も起きない保証はない。コンピュータにはできないと予想されていたことができるようになるたびに、知能に対する誤解が白日のもとに晒されるのかもしれない。

しかし、「知能」の満足のいく定義を現時点で与えられないことを悲観する必要はない。科学史をひもとけば、基本的な用語に関して明確な定義が与えられなかったのはよくあることで、明確な定義の不在はさほど問題を引き起こさなかった（ミッチェル**2011, p. 163**）。たとえば、ニュートンは「力」を明確に定義しなかった。すべての生物学者が合意する「遺伝子」の定義もまだないとされる。「（人間並の）知能」もきっと同じだろう。人間にしかできない知的作業はまだたくさん存在する。「知能」という言葉はプレースホルダーであり、知能の本質が何なのかは、心理学やＡＩ研究の今後の発展によって次第に明らかにされていくことだろう。

三度目のＡＩブームと機械学習

知能の本質についてわれわれはまだほとんど無知に等しいとしても、20世紀のＡＩ研究で判明したことが少なくとも一つある。それは「人間にとって難しい問題はやさしく、人間にとってやさしい問題は難しい」ということである。

人間にとって、複雑な計算を正確に素早く行う、チェスをうまくプレイする、目的地までの最適ルートを見つける、といった作業は困難であり、こうした作業を行う能力を身につけるには訓練を要するが、コンピュータにとってはそれほど難しくない。ところが、人間なら子どもでもできる簡単なことでも機械にとっては難しいことがある。たとえば、写真のどこに何が写っているのかを認識する、文章の内容を要約する、ジョークを飛ばす。こういった作業を機械に行わせるのは難しい。

一般に、機械は、手順を明確に記述することのできない非定型の作業を苦手とする。文字認識を例にとろう。多くの日本人にとって、ひらがなを読むのは造作もない。しかし、どうやって読んでいるのかを言語化するのは難しい。フォントごとに文字の形は微妙に異なり、手書き文字になると文字の形はますます多様である。個々の文字に共通する特徴を正確に記述するのは難しい。人間が手順を教えられないなら、機械に自力で見つけてもらえばよいのではないか。これは第三次ＡＩブームの基幹技術である「機械学習」の発想である。機械が「学習する」とはいかなることか。一つの答えは以下のようである（Mitchell 2006）。

ある機械システムが経験EによってタスクTに関する性能尺度Pを確実に向上させるならば、T、P、Eと相対的にその機械システムは学習する、と言う。

文字認識を例にとろう。コンピュータに文字（たとえば、ひらがな一文字）が描かれた画像を与え、何が描かれているのかを答えさせたいとする。これがタスクTである。Tを遂行させるために、プログラマーはひらがなが描かれた画像を用意し、そこに描かれているひらがなが何であるかを示す情報を正解ラベルとして記録する。こうした画像と正解ラベルのペアを大量に用意して、コンピュータに（何度も繰り返し）与える。これが経験Eに相当する。コンピュータがどのくらいTを遂行できるようになったのかは、まだ経験していないひらがな画像を分類させたときの正答率で測ることができる。これが性能尺度Pである。Eが与えられる以前だと、コンピュータはひらがなをろくに認識できないが、経験Eを与えられた後では高い確率でひらがなを認識できるようになったとしよう。右の定義によれば、コンピュータはT、P、Eと相対的に学習したのである。[14]

コンピュータに仕事をさせるこの方法は回りくどいと感じるかもしれない。プログラマーは普段何らかの問題をコンピュータに解かせたいとき、それを解くための正確な手順（アルゴリズム）をコンピュータに与える。たとえば、二つの整数の最大公約数を求めたければ、ユークリッドの互除法と呼ばれるアルゴリズムを与えたうえで、最大公約数を求めたい二つの整数を入力する。なぜ同じように、ひらがなの画像を認識するアルゴリズムをコンピュータに直接与えないのか。

もちろんその答えは、われわれが問題を解くためのアルゴリズムを手にしているとは限らないから、である。コンピュータに何らかの問題を解かせたいのだが、その問題を解くための正確な手順をわれわれが知らないこともある。言葉にできなければコンピュータに手順を教えることはできない。そこで、次善の策として浮上するのが機械学習であり、コンピュータ自身に問題を解くアルゴリズムを自力で見つけさせる。われわれはコンピュータに、問題を解くアルゴリズムを自力で見つけるための学習アルゴリズムを教え、その手がかりとしてデータを与える。投入するデータが多ければ多いほど優れたアルゴリズムが手に入る傾向にある。企業や研究者たちがデータを集めるのにあの手この手の工夫を凝らしているのは、そのためである。

なお、ここでは「機械学習」と一括りにしたが、実際にはさまざまな手法がある。第三次ＡＩブームでは「ディープラーニング」（深層学習）が特に注目を集めている。ディープラーニングは画像認識の分野で成功を収めたことで知名度が高まり、他分野にも活躍の場を広げていった。最近は、翻訳や文章校正、チャットなど、コンピュータにわれわれ人間の言葉を扱わせる自然言語処理（natural language processing; NLP）の分野で成果を挙げている。チャットＧＰＴはその最新の成果ということになる。

本書の目的

近年、ＡＩ研究はもはや論文の査読が追いつかないという悲鳴も上がるほどの勢いで進歩している。進展著しいＡＩの研究動向は、専門の研究者にとどまらず、社会からも広く注目を集めている。これはＡＩ技術が日々の生活を豊かにしてくれることを期待しているからかもしれないし、何かよからぬ影響が生じることを懸念してのことかもしれない。[15]

幸いなことに、ＡＩ研究の現状を伝える概説書はすでに数多く出版されている。本書もそうした概説書の一つたらんとしているわけだが、本書の特色は、チャットＧＰＴをはじめとする現在のＡＩに何ができて、何が（まだ）できていないのか、という疑問に「言葉の意味」という観点から切り込んでいくところにある。

たしかに、これまでも言葉の意味が話題になることはあった。第三次ＡＩブームの初期から、研究者たちは世間の人々が過剰に期待するのを防ぐために、現在のＡＩが意味を理解しているわけではない、意味が何なのかはよくわかっていないのだ、と警告してきた。しかし、それにもかかわらず、言葉の意味をある程度理解していると言ってもよいのではないか、と考える人は大勢いる。現在のＡＩが言葉の意味を理解していないとしても、どういう理由で意味理解に失敗しているのかは、チャットＧＰＴのように優れた自然言語処理の技術が身近になった今だからこそ、本格的に検討する価値がある。

意味は曖昧すぎて科学の研究対象にならないという人もいる。しかし、探求できる部分もあると私は思う。哲学は古くから意味とは何かを問題にしてきた。言語学には意味論という分野がある。心理学では、言語理解は知覚や記憶と並んで人気のテーマである。既存のさまざまな知見を組み合わせれば、意味とは何か、意味理解とは何か、という問題に対して回答の方向を示すことくらいはできるかもしれない。

現在のＡＩに何ができて何が（まだ）できないのかを考察しつつ、言葉の意味についての洞察を得る。これが本書の目的であり、自然言語処理を本職とするわけでもない哲学分野の研究者が時代の先端をいく題材に手をつける理由である。結果的に、本書は他の類書ではあまり目にすることのない意味観（たとえば、「意味とは何か」という問題と「意味理解とは何か」という問題の峻別など）を提供するだろう。

おどかすようだが、本書で展開される言葉の意味に関する議論は、不案内な読者の目には尋常でない代物に映るかもしれない。この尋常でなさ、言葉の意味理解に対する偏執的なこだわりは、究極的には人間の心に対する関心に由来しているのだと思う。なぜなら、私は、人間の心において言葉の意味理解が重要な地位を占めると考えているからである。人間の心に関するこの論点には言葉に関する考察を一通り行った後、本書の最後にまた戻ってくることにしたい。

本書の想定読者

本書の想定読者は、現在のAIについて、難しい数学をなるべく排して日常的な言葉遣いで理解したいと考えている人々である。そのような人々は、文科系の学生・社会人、特に私と同様に哲学・倫理を専門とする学生・研究者に多いかもしれないが、なんにせよAI技術に関心のある幅広い層に本書が届くことを期待したい。

もちろん、本書がAIに関連するあらゆるニーズに応えられるとまでは思っていない。私はAIや自然言語処理の専門家ではないので、技術的な内容に深く突っ込んだ解説はできなかった。大規模言語モデルの詳細や実務への応用可能性を重視する読者は、別の本にあたってほしい（そもそも本書を手に取らないかもしれないが）。

私はAI研究の歴史的背景、心理学や言語学、哲学といった関連分野の動向にも目を向けてバランスのとれた全体像を描こうと努力した。本書を読めば、AI研究がどのような歴史を歩んできたのか、ディープニューラルネットワークはどのような装置で、なぜ確率・統計が重視されるのか、自然言語に関して心理学や言語学は何を明らかにしてきたのか、チューリングテストとはどのような思考実験なのか、といった多様な話題について、専門家には及ばずとも周囲の人々より深く理解できるようになるだろう。

本書を読むにあたって必要なのは好奇心とスタミナである。ＡＩに関する予備知識はあるに越したことはないが、特別な予備知識は要求していない。いくつかの箇所で登場する数式は高校数学レベルの知識で理解できる。分かりにくい箇所があっても立ち止まらず、全体をざっとでも読み通してほしい。やや専門的な内容は注にまとめた。また、各章の最後には簡単な文献案内をつけた。本書よりさらに進んだ内容を学ぶ際の参考になればうれしい。

本書の概略

本書は二章構成である。手短に内容を予告しておこう。

第一章　ＡＩの歴史――心の哲学を補助線として

第一章では、「人工知能」という言葉が作られた１９５６年以来のＡＩ研究の展開を振り返る。ＡＩ研究は１９６０年代に一回目の、１９８０年代から１９９０年代に二回目の、２０１０年代に三回目のブームを迎えたが、それらの合間には冬の時代が生じた。ここでは、それぞれのブームを象徴するアイデア、そして、冬の時代に生まれたにもかかわらず現代のわれわれの生活を彩ることになった画期的なアイデアを、心の哲学や心理学の知見を適宜参照しつつ解説する。

この章で取り上げる文献の中には今となってはあまり顧みられていないものもあるが、温故知新の精神を大切にしてなるべく丁寧に解説した。「機械学習」や「ディープラーニング」といった用語が一般向けの書籍やメディアに頻繁に登場するようになったのは２０１０年代だが、これらの技術は突如として現れたわけではなく、半世紀以上も前から積み上げられてきた研究者たちによる創意工夫の結晶なのである。

第二章　自然言語処理の現在――言語哲学を補助線として

第二章は、ＡＩは言葉の意味を理解するのかという問題を言語哲学の観点から掘り下げる。言葉の意味については二つの代表的なアプローチがある。一つは「真理条件意味論」である。これは哲学者の間で特に人気が高く、「言葉の意味とは何か」という問いへの古典的な回答と言える。実際、真理条件意味論はかなり筋の通った考え方で、すぐ思いつくような反論にはおおむね応答できる。しかし、それにもかかわらず、真理条件意味論が提供する言葉の意味観は、自然言語処理の分野にほとんど貢献できなかった。

最近の自然言語処理で共感を集めている言葉の意味に対する考え方は「意味の使用説」である。現在のＡＩが用いるメカニズム（ニューラル言語モデル）は、意味の使用説の一種である「分布意味論」を作業仮説とすることで生み出されたのだ。それでは、哲学者たちの多くは言葉の意味について見当違いをしていたのか。必ずしもそうではないと私は考えている。伝統的な言語学に照らしてみると分布意味論にもさまざまな問題があることを指摘しよう。

前置きは以上である。それでは本論に入ろう。

注

1 （ホフスタッター 2005, p. 618）

2 https://openai.com/blog/chatgpt/

3 https://www.fool.com/investing/2019/01/20/the-social-media-platforms-that-hit-100-million-us.aspx

4 "The Brilliance and Weirdness of ChatGPT", https://www.nytimes.com/2022/12/05/technology/chatgpt-ai-twitter.html

5 Thorp 2023. cf. Stokel-Walker 2023

6 "NYC education department blocks ChatGPT on school devices, networks", https://ny.chalkbeat.org/2023/1/3/23537987/nyc-schools-ban-chatgpt-writing-artificial-intelligence

7 全体としては、ＡＩ生成物をそのまま成果物とすることは禁止しつつ、担当教員の裁量で教育効果を高めるための利用であれば許容する傾向にあるようだ（武田2023）。

8 チャットＧＰＴの成功にあおられて他のテック企業も同様のサービスを提供しはじめた。グーグルのBard、メタ（旧フェイスブック）のLLaMAなどが有名である。日本語に特化した大規模言語モデルの開発もはじまっている。

9 朝日新聞の朝刊を「人工知能」で記事検索すると、２０１３年には45件だったのが毎年2倍近いペースで増加していたことが分かる。２０１８年の９０６件でピークを迎えたが、その後も６００件程度で推移している。ＡＩは日常風景の一部として定着した感がある。

10 Legg & Hutter（2007）はこれまでに専門家が提唱した「知能」の定義を70個紹介している。

11 この現象は「AI効果」と呼ばれる（cf. ホフスタッター 2005, p. 591）。

12 チェスでは将棋でいう一手のことをplyといい、味方と敵の2プライをペアにしてmoveという。ここではplyを「半手」、moveを「一手」と訳している。

13 カスパロフとディープブルーの対局については多くの解説記事が書かれてきたが、まずはカスパロフ本人の著書（カスパロフ 2017）が参照されるべきだろう。

14 ここで紹介したタイプの機械学習は「教師あり学習」と呼ばれる。他のタイプの機械学習には「教師なし学習」や「強化学習」がある。

15 プライバシーの侵害や技術的失業の可能性などがしばしば議論になる。また、チャットGPTのような大規模言語モデルの開発競争は何が起こるのか予測不可能な領域に突入しており、リスクを見積もるためにも一時的に開発を中断すべきだ、という過激な意見もある。 https://futureoflife.org/open-letter/pause-giant-ai-experiments/

第一章

ＡＩの歴史——心の哲学を補助線として

1　ダートマス会議にはじまる

1956年の夏、アメリカ東部のダートマス大学で2カ月にわたる研究会が開かれた。今日では「ダートマス会議」と呼ばれるこの研究会を企画したのは、ダートマス大学の若き数学者ジョン・マッカーシーである。[1] 彼は、コンピュータに記号を機械的に操作するプログラムを与えれば、人間が行う知的な仕事（数学や論理学の定理証明、チェスなどのゲームプレイング、自然言語を用いた情報処理など）をさせることができるという構想を抱いており、この目標について議論する研究会を企画した折に「人工知能」という言葉を作った。[2]

ダートマス会議の参加者の多くは、知能を実現する手がかりを数理論理学に求め、その後のAI研究における主流派を形成していった。しかし、AI研究という分野では他にもさまざまなアプローチが提案されてきた。これはあるいみ健全なことだ。どうすれば本物の知能を実現できるのか、誰も知らないからである。意見の対立は現在も続いている。

多様なアプローチが乱立するAI研究の歴史を概観するのは難しく、どこかで単純化の危険をおかさねばならない。本章では「記号主義」と呼ばれる学派と、「コネクショニズム」と呼ばれる学派の二つに焦点を絞る。おおざっぱに言えば、両学派の知能観は以下のような対比をなしている。

記号主義は、合理的な思考とは何らかのルールに則って記号を操作する活動だと考える。単純な例として、一次の連立方程式を解くことをイメージしてみよう。一つひとつの記号が何を意味しているのかは明確だが、実際に計算するプロセスではそれらが何を意味しているのかはあまり重要ではない。解を得るというゴールを目指して、移項のルールに則って記号を虚心に操作していくのが肝である。もっと複雑な問題に取り組むときでもこの構図は変わらない。

これに対し、コネクショニズムは、高度な知能は脳を部分的に模倣することで実現できるのではないか、と考える。なんといっても「脳は理性のエンジンであり魂の座」である（**Churchland 1995, p. 324**）。人間の大脳皮質はおよそ140億ものニューロン（神経細胞）で構成されているが、この巨大なネットワークがどのように動作しているのかを考察すれば知能を実現する手がかりが得られるかもしれない。

記号主義は、人々が意識的に問題解決に取り組む際に典型的にみられるような、ルールに則った思考に焦点を当てる傾向がある一方で、コネクショニズムは、画像や音声の認識といった無意識の思考に焦点を当てる傾向にある。記号主義の基礎に数理論理学があるとすれば、コネクショニズムの基礎には確率・統計がある。

二つのアプローチは好対照をなしている。[3] もちろん、現実のＡＩ研究は多様で、二つの陣営にすっきりと分けられるわけではないが、両学派は共にＡＩ研究の初期から多くの支持者を集めてきた。実際、ＡＩ研究の歴史を描くにあたって記号主義とコネクショニズムの対立を中心に据える啓蒙書は多い。本書もその流儀にならうものである。

本章の構成は以下のようである。２節では１９６０年代に生じた一回目のＡＩブームを取り上げ、３節ではその後の冬の時代を取り上げる。４節では１９８０年代に生じた二回目のＡＩブームを取り上げる。５節では二回目の冬の時代を取り上げる。６節では２０１０年代にはじまり現在進行中でもある三回目のＡＩブームを取り上げる。７節では次章の予告を兼ねて、１９８０年代に指摘されたコネクショニズムの弱点を取り上げる。

２　第一次ＡＩブーム――「一人で立てたよ！」

最初のＡＩブームは１９６０年代に全盛を迎えた。マッカーシーの表現によれば、この時代は「ママ見て、一人で立てたよ！（Look, Ma, no hands!）」という雰囲気に包まれていた。現代の研究水準からすれば牧歌的に映るかもしれないが、無機質の機械がきちんと動作して「知的」な振舞いを示したことは新鮮な驚きをもたらした。

本節の前半では、記号主義者ハーバート・サイモンの研究を取り上げる。後半では、コネクショニズムの開拓者として知られる心理学者フランク・ローゼンブラットのパーセプトロンを取り上げる。

2-1　サイモンのGPS

サイモンは政治学、経営学、経済学、心理学、ＡＩなど幅広い分野で重要な貢献をした大学者である。大統領の科学諮問委員を何度も務め、１９７５年にコンピュータ科学のノーベル賞といわれるチューリング賞を受賞、１９７８年にはノーベル経済学賞を受賞している。数カ国語を操り、古典の造詣も深いというルネサンス的な万能人だった。

１９５２年の夏、サイモンはランド研究所にコンサルタントとして招かれた[4]。彼はこの時点ですでに政治学者、経済学者として確固たる地位を築いており、会社組織などの集団的意思決定に関する研究で知られていた。ランド研究所に招かれたのも組織研究の業績を評価されてのことだと思われる。しかし、ＡＩ研究者としてのサイモンのキャリアはここから始まったのである。

こんな逸話がある。ランドの防空システムの研究室で、サイモンはＩＢＭ製の古いパンチカード機械を使って地図のシミュレーションをしているのを見かけた。統計値を印刷する代わりに、地図を印刷していたのである。旧式のカード式計算機で絵を印刷できたのは驚きだった。サイモンは、コンピュータの用途を数の計算に限定する必要はなく、非数値記号を扱わせることもできる、ということを理解した（マコーダック1983, p. 145）。

コンピュータはすべての数を０、１の二進法で表すが、０、１の並び（ビット列）は別の種類の情報も表現できる。たとえば、１０００００１は十進法の「65」だけでなく、大文字の「A」を表すこともできる。数や文字列だけでなく、写真や音楽など他の種類の情報もビット列で表現できる。しかも、単にビット列で表現できるというだけでなく、画像の減色処理や音声認識といった知的な仕事も、究極的にはビット列に対する操作へと置き換えることができる。そんなことは現代のプログラマーにとっては当たり前の話かもしれないが、深遠な洞察と言えるだろう。

その後、サイモンはランドで働いていたアレン・ニューウェルと意気投合して、知的作業を行うコンピュータを作るための共同研究を始めた。彼らが最初に選んだ題材は論理学の定理証明だった。サイモンは、ラッセルとホワイトヘッドの『プリンキピア・マテマティカ』（1910–1913）を勉強して、そこに登場する論理学の定理を自動的に証明するプログラムを書くという目標をたてた。

こうして、彼らはロジック・セオリストというプログラムを開発した。ロジック・セオリストは、『プリンキピア・マテマティカ』第2章の最初の52個の定理のうち38個を証明することができた。そのうち半分は一分以内に証明が終了し、中にはラッセルとホワイトヘッドの証明よりも簡潔なものさえあった。ロジック・セオリストの証明は「論理学者の業績」と呼ぶにはささやかな仕事かもしれないが、[5] コンピュータのプログラムがある種の独創性を発揮したのは驚きだった。当時まだ存命中だったラッセルは、この研究結果を知らされて以下のような返事を書いた。

『プリンキピア・マテマティカ』がついに機械によってなされたことをうれしく思います。願わくば、ホワイトヘッドと私が人手により証明しようとして10年を無駄にする前に、そのことを知りたかったたと思います。（ペゾルト 2012, p. 312）

サイモンとニューウェルは、つづいて、論理学の定理を証明する以外の目的にも応用可能なプログラムを作った。一般問題解決器（**general problem solver; GPS**）と命名されたプログラムは、たとえば、次のような古典的パズルを解く。

川渡し　三匹のオークと三匹のホビットが川を渡ろうとしている。ボートは一艘しかなく、一度に二匹までしか乗れない。川の両岸とボートの上で、ホビットの数がオークの数よりも少なくなるとオークはホビットを食べてしまう。どのように移動すればよいか。ただし、ボートを移動させる際には、最低一匹が漕ぎ手として乗らなければならず、漕ぎ手は対岸で必ず一度はボートから降りなければならない。[6]

コンピュータにこういったパズルを解かせるにはどうすればよいのか。サイモンとニューウェルによれば、古典的パズルには、初期状態から出発して、一定の制約のもとで合法的な操作を適用して、目標状態を目指す、という共通の構造がある。たとえば、「川の左岸に x 匹のホビット

とy匹のオークとz艘のボートがある」という状態を

$$xH\ yO\ zB$$

と表現しよう（右岸の状態は左岸の状態から一意に定まるので省略する）。ボートを移動させるという操作は状態の変化、つまり、x、y、zの値が変わることに対応している。その際、状態を変化させる操作は一定の制約のもとで行われなければならない。たとえば、xをyより小さくするような操作は許されていない。こうして、川渡しパズルは

$$3H\ 3O\ 1B$$

という初期状態から出発して、ルール上許される操作のみを経て

$$0H\ 0O\ 0B$$

という目標状態に至る道筋は何か、という風に言い換えられる。

そうすると、古典的パズルを解決するために必要なのは初期状態と目標状態までの道筋を見つ

けることである。川渡しパズルの問題空間はかなり小さいので、でたらめに探索しても目標状態までの道筋を見つけられるかもしれない。しかし、もっと効率よく道筋を見つける戦略があるかもしれない。ＧＰＳは「手段目標分析」によって初期状態から目標状態への道筋を探索する。

1. ある目標を達成するにはどんな手段があるのかを調べる
2. その手段が使えるためにはどのような状態でなければならないかを調べる
3. その状態になることを下位目標とする
4. １に戻る。

手段目標分析をパズルに適用するには、初期状態から目標状態までの「距離」を何らかの仕方で定義しておく。川渡しパズルでは、全員を左岸から右岸へと運ぶのが目標なので、左岸と右岸の人数の差が目標状態までの距離の目安となるだろう。ＧＰＳは、目標までの距離を縮める手段を調べることを通して問題を解決する。もっとも、たいていのパズルは目標状態までの距離を一貫して縮められるほど単純ではなく、どこかで遠回りしなければならないように作られている。そこで、基本的には目標状態までの距離を縮める操作を選びつつ、それ以上進めなくなったなら前の状態に戻って別の操作を選んでみる、といった仕方で、問題空間を探索することになる。たとえば、川渡しパズルでは、右岸から左岸にホビットとオークを戻すステップがややトリッキー

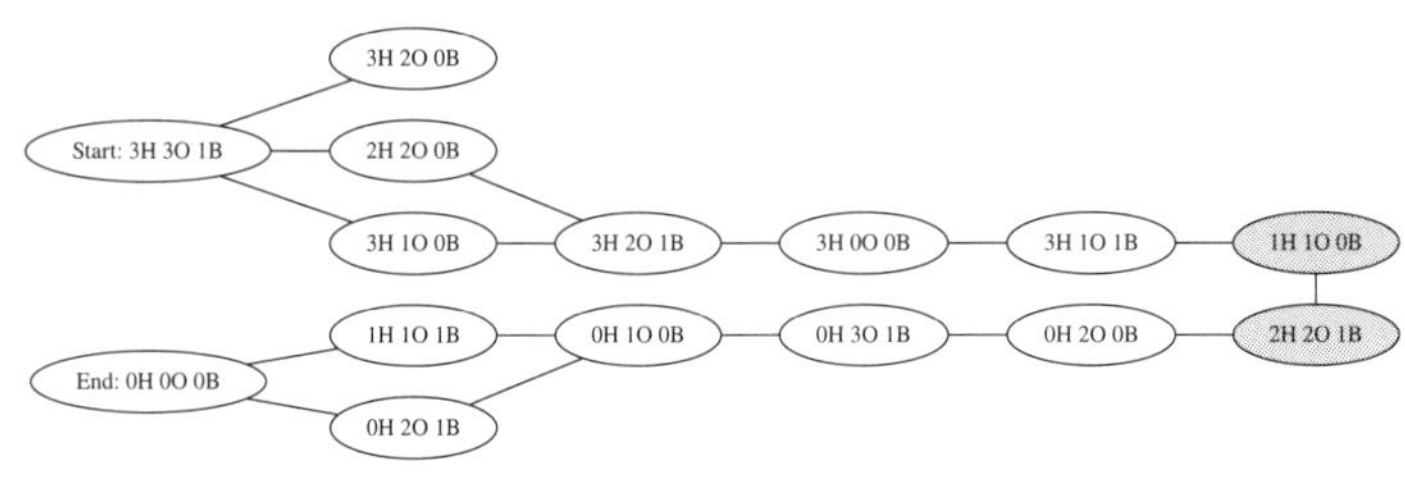

図1－1　川渡しパズルの問題空間

である（図1－1）。

以上の説明から明らかなように、ＧＰＳは自然言語で書かれた問題文を理解してパズルを解くわけではない。ＧＰＳに扱えるのは、ここで用いた**1H 1O 0B**のように無味乾燥な記号だけであり、ＧＰＳにパズルを解かせるには、人間のプログラマーが問題文を記号に置き換える必要がある。原理的には、こうした記号は、川渡しパズルの状態とはまったく別の状態を表すのに使われてもおかしくない。

しかし、いったん記号に置き換えてしまえば、そこから先のＧＰＳの振舞いは人間とかなり似てくるらしい。ＧＰＳと人間の思考プロセスを比較するため、ニューウェルとサイモンは大学生を被験者に雇って、これらのパズルを解かせてみた。その際、彼らは学生に頭の中で考えていることを逐一すべて声に出して報告させ、録音したテープを書き起こして「プロトコル」を作成した（リンゼイ&ノーマン1985, pp. 90–91）。ＧＰＳの振舞いは、現実の人間がするような逡巡や戸惑いをうまくシミュレートしていた、とのことである。[7]

サイモンとニューウェルは次のように結論した。人間は川渡しのような古典的パズルを解くとき、目標状態にたどり着く方法をしらみつぶしに調べるわけではない。むしろ、目標状態までの距離を示す何らかの指標を頼りにしながら、ぐねぐねと曲がりくねった道を暗中模索するようにパズルを解く。そして、ルールに則って記号を操作するGPSがパズルを解く様子はプロトコルに記録された人間の思考活動の様子をシミュレートできている。したがって、人間の合理的な思考の本質は、ルールに則って記号を操作するという点に存するのだろう、と。

2－2　ローゼンブラットのパーセプトロン

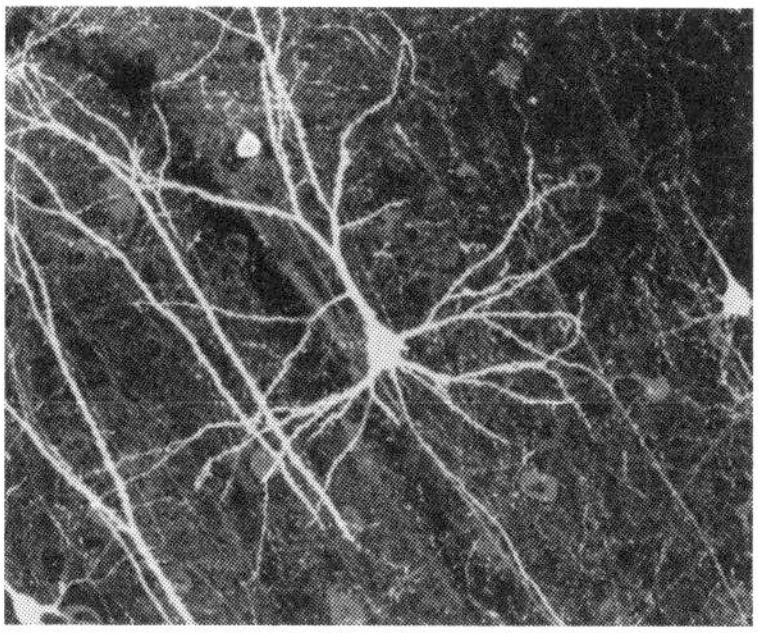

ここで、記号主義からコネクショニズムへと話を移そう。コネクショニズムは高度な知能を実現するヒントを脳の研究に求める。脳の研究からはどのような手がかりが得られるのだろうか。

図1－2　マウスの大脳皮質のニューロン。緑色蛍光タンパク質（GFP）によって発光させている。
https://commons.wikimedia.org/wiki/File:GFPneuron.png

脳はニューロンが大規模に絡み合って構成されたネットワークである。ニューロンは、本体から伸びた無数の根（樹状突起）と細長くしなやかな枝（軸索）を持つ木のような形をしている（図1－2）。ニューロン同士は、一方のニューロンの軸索の先端が他方のニューロンの樹状突起と「シナプス」と呼ばれる小さな間隙を介して相互に結びついている。

ニューロンの内部は負に帯電しているが、ニューロンが興奮（活性化）すると、一瞬だけ正の電位へと逆転する。この電位変化は信号として軸索に沿って先端まで伝わり、別のニューロンへと伝わる。ただし、シナプスでは電気信号が伝わるのではなく、化学物質（神経伝達物質）の放出と受容が行われている。化学物質には、次のニューロンに興奮を伝えるものと、次のニューロンの活動を抑制するように働きかけるものの二種類がある。一つのニューロンは複数のニューロンから信号を受け取るので、あるニューロンから興奮性の信号を受け取っても、別のニューロンから抑制性の信号を受け取れば、二つの働きが打ち消しあって興奮が伝わらない、といったことも起こる。

また、シナプスでは、化学物質の放出量に応じて入力信号への「重みづけ（weighting）」もなされる。すなわち、あるニューロンからの信号は重視して、別のニューロンからの信号は軽視するといったことが起こる。興奮性の信号と抑制性の信号の二つを受け取ったとしても、抑制性の信号が軽視されれば、興奮が生じるかもしれない。また、興奮性の信号の方が軽視されたとしても、無数のニューロンが興奮性の信号を伝えるなら、それらが合算されることで興奮が生じるということもあるかもしれない。

シナプス結合がこのような仕組みになっているおかげで、ニューロンのネットワーク全体は電気信号を単に端から端へと伝えるにとどまらない複雑な振舞いを示すことになる。しかし、それが秩序だった振舞いであるためには、ネットワーク中に存在する膨大な数のシナプス結合の重みが適切に調整されていなければならないだろう。ここで重要なのが、重みは最初から固定されているわけではなく、柔軟に変化するということである。環境に応じてニューロンのネットワークは学習するのである。その意味で、シナプス結合は脳が適応的な機能を果たす鍵を握っている。ちなみに、「コネクショニズム」という名称はシナプスにおける結合（コネクション）に由来する。

もちろん、現実のニューロンの生化学的メカニズムはここで述べた概略よりもはるかに複雑である。そこで、１９４０年代にウォーレン・マカロックとウォルター・ピッツは、細部を思い切って無視することで、シンプルなモデルを提案した（図１−３）。

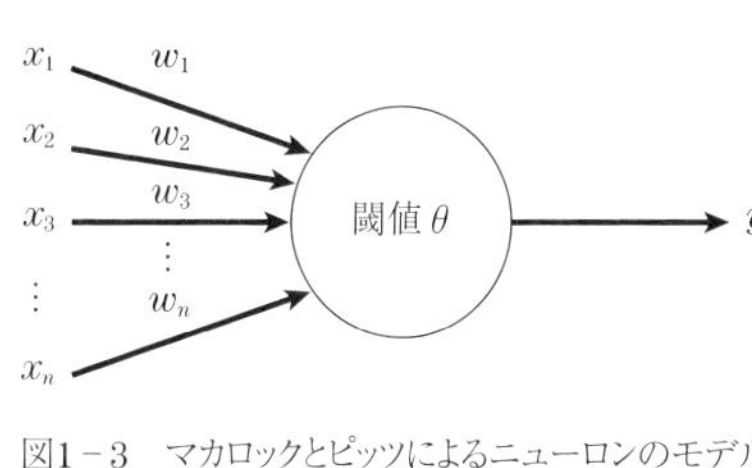

図1−3　マカロックとピッツによるニューロンのモデル

一つのニューロンは無数の樹状突起を持ち、そこで他のニューロンからの電気信号を受け取る。受け取る信号の強さが一定の値（閾値）を超えると活性化して、軸索を通して他のニューロンに信号を伝える（閾値を超えなければ不活性）。そこで、まず、樹状突起に与えられるn個の入力信号をx_1、…x_n、入力信号に対する重みづけをw_1、…w_nとする。そして、ニューロンに対する全体的な入力を

$$w_1x_1 + w_2x_2 + \cdots w_nx_n$$

NOT（一変数のブール関数）

x_1	y
1	0
0	1

AND（二変数のブール関数）

x_1	x_2	y
1	1	1
1	0	0
0	1	0
0	0	0

表1－1　ブール関数の例

という加重和で表すこととする。各々の重みw_iは任意の実数を値にとり、各々の入力x_iは活性と不活性に対応させて1か0を値にとると仮定しておく。[8]

マカロックとピッツは、ニューロンはこの全体的な入力が閾値θを超えたときに活性化し、そうでなければ活性化しないと仮定した。ここで、活性化を1、不活性を0に対応させると、ニューロンの出力信号yは

$$y = \begin{cases} 1 & (w_1x_1 + w_2x_2 + \cdots w_nx_n > \theta \text{ のとき}) \\ 0 & (w_1x_1 + w_2x_2 + \cdots w_nx_n \leq \theta \text{ のとき}) \end{cases}$$

と表せる。以上が、マカロックとピッツによるニューロンのモデルである。

次に、この人工ニューロンで何ができるかを具体的に考えよう。もっとも単純な応用例はデジタルコンピュータの回路で用いられている「論理ゲート」である。論理ゲートとは、0、1の列を入力にとって0、1を出力する関数（ブール関数）を計算するための部品である。基本的なブール関数としてはNOTやANDがある（表1－1）。

これらのブール関数がNOTやANDと呼ばれる理由は、1を真、0を偽と読み替えれば理解できる。真な文を否定（NOT）すると偽となり、偽な文を否定すると真となるだろう。よって、NOTは1を入力すると0を出力し、0を入力すると1を出力する関数である。二つの文を連言（AND）でつなぐときには、両方とも真だと真となり、片方でも偽だと偽となるだろう。よって、ANDは入力が二つとも1のときに1を出力し、片方でも0なら0を出力する関数である。

重みと閾値を適切に設定したニューロンは、こうした関数を計算する論理ゲートの役割を果たす。たとえば、$w_1 = 1, w_2 = 1, \theta = 1.5$と設定したニューロンはANDゲートの、$w_1 = -1, \theta = -0.5$に設定したニューロンはNOTゲートの役目を果たす（確認してほしい）。

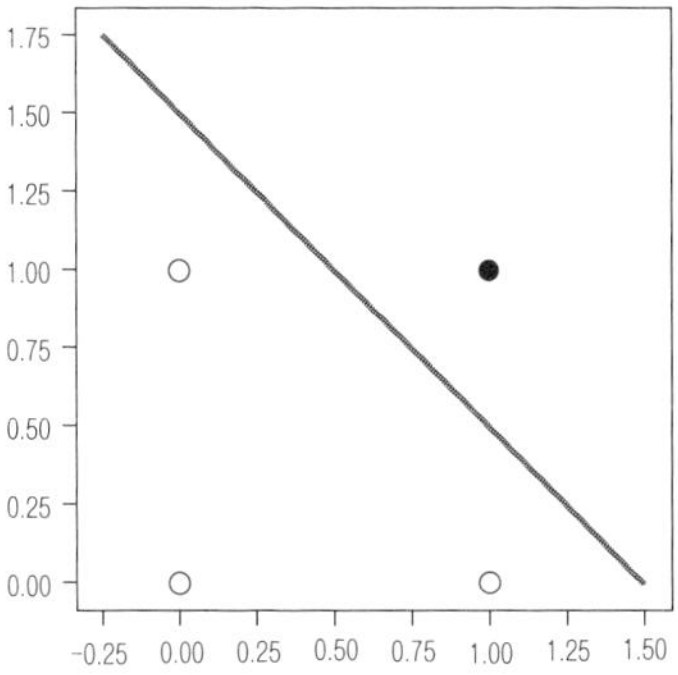

図1－4　シナプスの重みと閾値から定まる直線が点 (1, 1) を (1, 0), (0, 1), (0, 0) から分離するならば、そのニューロンはANDゲートの働きをする。

ここで次のような疑問を持つかもしれない。人工ニューロンが論理ゲートの役目を果たせるのは分かったが、右のような重みと閾値の値はどうやって見つけたのか。

二つの方法がある。一つ目の方法は、ブール関数を視覚的に表現することである。たとえば、二つの入力x_1、x_2を持つニューロンにANDゲートの働きをさせたいとする。x_1、x_2がとりうる値はともに1か0の2通りなので、入力のパターンは合計4通りある。ここで、横軸をx_1、縦軸をx_2とする座標平面に$(0, 0), (0, 1), (1, 0), (1, 1)$の4点をプロットする（図1－4）。ところで、ANDは、$(1, 1)$の入力に1を返し、それ以外には0を返す関数であった。この働きを模倣するには、$(1, 1)$とそれ以外の3点を分割することができれば十分である。たとえば

$$x_1+x_2 = 1.5$$

という方程式が表す直線を考えて、$x_1+x_2 \geq 1.5$の領域では1、$x_1+x_2 < 1.5$の領域では0とすれば、$(1, 1)$とそれ以外の3点を分割できる。よって、重みと閾値を$w_1 = 1, w_2 = 1, \theta = 1.5$に設定すればよい。

重みと閾値を設定する二つ目の方法は、機械学習である。まず、シナプスの重みと閾値の初期値をでたらめに設定する。次に、望ましい出力（正解）と実際の出力を比較する。もしそれらがズレていれば、ズレを修正する方向へと重みと閾値を微調整する。すなわち、

・1を出力すべきとき（つまり、ニューロンが興奮すべきとき）に0を出力したら、閾値を下げ、1の入力を伝えてきたニューロンとのシナプスの重みを上げる。

・0を出力すべきとき（つまり、ニューロンが興奮すべきでないとき）に1を出力したら、閾値を

入力	w_1, w_2, θ	出力	正解	正否	重み・閾値の更新
1, 1	1.4, 0.6. 0.9	1	1	当たり	なし
1, 0	1.4, 0.6, 0.9	1	0	はずれ	w_1 を 1.2 に、θ を 1.1 に更新
0, 1	1.2, 0.6, 1.1	0	0	当たり	なし
0, 0	1.2, 0.6, 1.1	0	0	当たり	なし
1, 1	1.2, 0.6, 1.1	1	1	当たり	なし
1, 0	1.2, 0.6, 1.1	1	0	はずれ	w_1 を 1.0 に、θ を 1.3 に更新
0, 1	1.0, 0.6, 1.3	0	0	当たり	なし
0, 0	1.0, 0.6, 1.3	0	0	当たり	なし
1, 1	1.0, 0.6, 1.3	1	1	当たり	なし
1, 0	1.0, 0.6, 1.3	0	0	当たり	なし

表1－2　ローゼンブラットの更新規則を用いてニューロンにANDゲートの働きをさせる

上げ、1の入力を伝えてきたニューロンとのシナプスの重みを下げる。

あとは、望ましい出力と実際の出力が合致するまで、このステップを繰り返す。これを「ローゼンブラットの更新アルゴリズム」と呼ぶ。

具体的に見ていこう（cf. 守1996, p. 57）。まず、重みと閾値の初期値を適当に、たとえば、$w_1 = 1.4, w_2 = 0.6, \theta = 0.9$と定める。個々の入力に対して、正解と出力がズレていたときには重みと閾値を0・2ずつ調整していく。すると、ＡＮＤゲートを実装するニューロンは表1－2のように形成される。

最終的に、重みと閾値は$w_1 = 1.0, w_2 = 0.6, \theta = 1.3$に収束した。先ほどとは違う値に設定されてしまったが、正解は一つではないの

0	1	1	0
1	0	0	1
0	0	1	0
0	0	0	1
1	0	0	1
0	1	1	0

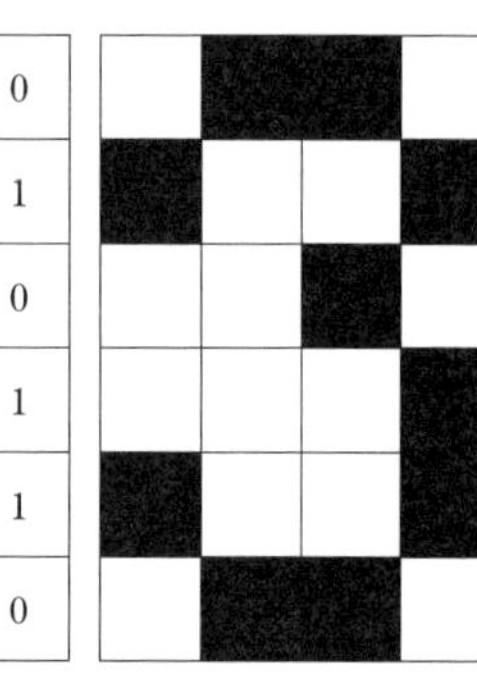

図1−5　「3」を表す24画素の画像データ

で問題ない。一般に収束先は、重みと閾値の初期値と、更新するときにどのくらいずらすのか（学習率）によって変わってくる。

　機械学習でニューロンの重みと閾値を設定するのは効率が悪いが、機械学習を使わざるを得ない場合もある。たとえば、次のようなケースを考えてみよう。入力画像にアラビア数字の「3」が描かれていれば1を出力し、描かれていなければ0を出力する装置を作りたいとする。入力画像として、図1−5のような4×6＝24画素の画像データを用いることにしよう。ちなみに、画像データは0、1の列で容易に表すことができる。たとえば、黒いセルの入力を1、白いセルの入力を0に対応させて、[011010010010000110010110]という列にすればよい。われわれが欲しいのは、このような0、1の列を入力にとって、それが「3」の画像であれば1を出力し、そうでなければ0を出力するような装置である。[9] ニューロンを使ってこのような装置を作れないだろうか。

　この問題はANDゲートの役目を果たすニューロンを作るよりずっと難しい。ANDゲートは入力が二つだけなので二次元平面上の点を分割する直線を描くだけでよかったが、ここでは24次元空間の分割を考えねばならない。そのような高次元空間を視覚的にイメージするのは不可能である。「3」の画像には1を出力し、それ以外には0を出力するという、そんな都合のよい重みと閾値がそもそも存在するのかどうかは不明であり、仮に存在するとしても、どうやって重みと閾値を設定すればよいのかもわからない。

しかし、仮にそういう都合のよい重みと閾値が存在するならば、機械学習が利用可能である。まず、24画素の画像データを豊富に用意する。そして、各画像には「3」が描かれていれば1、そうでなければ0という正解ラベルを貼り付ける。こうしたデータを教師データとして与えれば、先ほどの更新アルゴリズムによって重みと閾値を調整できる。「3」がどのような形なのかをニューロンに学習させるのである。

「3」がどのような形なのかを事例から学習させる、というのはそれほど奇妙なアイデアではない。そもそも、われわれ自身も「3」がどういう形なのかを明示的に教わったわけではない。すべての「3」の画像に共通する特徴を言葉によって説明するのは難しいからである。われわれはさまざまな「3」の画像に接することで「3」がどのような形なのかを学習した、というのはおそらく正しい。

さて、めでたく「3」を認識するニューロンを作ることができ、さらに、他の9個のアラビア数字を認識するニューロンも作ることができたと仮定しよう。この仮定が正しければ、個々のアラビア数字を認識するニューロンを組み合わせて、アラビア数字の認識装置を作ることもできる

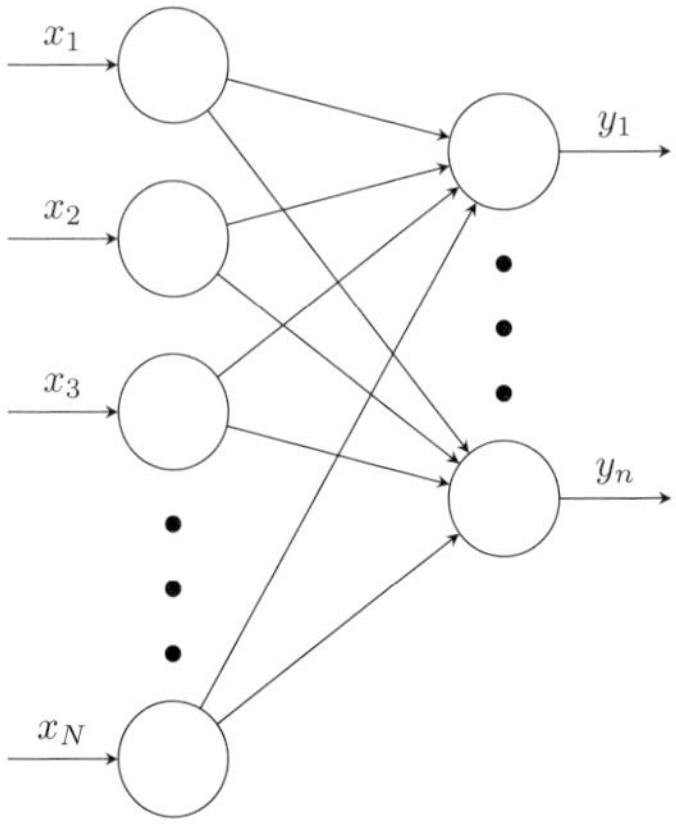

だろう。たとえば、図1－6のような構造のニューラルネットワーク（複数の人工ニューロンを結合したネットワーク）である。

このネットワーク構造は、知覚する（**percept**）素子（**-tron**）という意味を込めて「パーセプトロン」と呼ばれる。パーセプトロンは、「入力層」と「出力層」と呼ばれる縦に並んだニューロンの集まりである二つの層で構成されている。入力層のニューロンは、画像の各画素に対応する情報をそのまま出力層のニューロンに伝える。生物学的なアナロジーを求めるなら、入力層は光に反応する網膜の視細胞、出力層の各ニューロンは、パーセプトロンに分類させたい「カテゴリー」に対応する脳のニューロンと考えるとよい。アラビア数字を認識させる場合なら、0から9がここでいうカテゴリーである。

図1－6　ローゼンブラットのパーセプトロン。ここでは24画素の画像を何らかのアラビア数字として認識させたいので、$N = 24$、$n = 10$とする。入力層の各ニューロンは、対応する画素が黒ならば活性化して出力層に信号を伝える。装置が適切に働けば、出力層のニューロンのうち一つが活性化する。

画像を認識する神経組織は案外こんな具合にできているのかもしれない、と想像したくなる。しかし、現実はそれほど単純でないことがまもなく判明した。

3　ＡＩの冬（1）――「時バエは矢を好む」？

第一次ＡＩブーム時代の研究者はＡＩ研究の未来について楽観的だった。１９５７年の講演でサイモンが行ったとされる主張が当時の雰囲気を表している。

みなさんを驚かせることが目的ではないのですが、しかし最も簡潔にまとめると、いまや思考し、学習し、創造する機械が出現したということになります。さらに、それらの能力は急速に進歩し、近い将来には、扱える問題の範囲も人間と同等のものになるでしょう。（ラッセル＆ノーヴィグ2008, pp. 20–21）

サイモンは十年経てばコンピュータがチェスのチャンピオンになるとも予言した。しかし、予言は成就しなかった。Mac Hackというプログラムがアマチュアの大会では健闘したものの、プロ相手には歯が立たなかった。

サイモンは後に、チェスの複雑さを過小評価していたこと、チェスを研究するコンピュータ科学者の絶対数が不足しているのを過小評価したことを認めた。人員不足を過小評価していたというのは偉大な経営学者らしからぬ誤りだったが（マコーダック1983, p. 219）、人間並の知能が実現する日は近いという楽観論にはもっと根の深い問題があったように思われる。以下では、機械翻訳の失敗とパーセプトロンの限界という二つの事例を紹介する。

3－1　機械翻訳の失敗

デジタルコンピュータの黎明期から暗号解読は重要な目的の一つで、その技術は翻訳にも応用できるのではないか、と考えられてきた。１９５４年にはジョージタウン大学とＩＢＭがロシア語を英語に翻訳する小規模な実験を行っている（Hutchins 2004）。

機械翻訳のターゲットにロシア語が選ばれたのは、当時の政治情勢が影響している。アメリカはソ連の情報を集める必要性を感じ始めていた。１９５７年10月にソ連が世界初の人工衛星スプートニク一号を打ち上げたことで、この動きはさらに強まった。宇宙ロケットは大陸間弾道ミサイルに転用可能なので、宇宙開発におけるソ連の成功は軍事的脅威に直結している。アメリカはパニックに陥った（スプートニク・ショック）。アメリカはソ連の科学技術の実態を知るべく、ロシア語で書かれた科学論文の翻訳作業を加速するために巨額の予算が機械翻訳の研究に投入された。

当時用いられた機械翻訳の方法は「構文トランスファー方式」と呼ばれる。すなわち、何らかのルールに基づいて起点言語（たとえばロシア語）の文の構文を解析し、そこから目的言語（たとえば英語）の構文へと変換した上で、電子辞書を用いて単語を置き換える。そうすれば、起点言語の文の意味を保存した翻訳が得られると考えられていた。しかし、事はそううまく運ばなかった。

まず、言語間の語句の対応は一対一ではない、という問題がある。ある言語を別の言語に翻訳する際に、どんな場合でも一様に置き換えられる語句のペアがあるのかどうかは疑わしい。私が好きな例は「おはようございます」の英訳である。たしかに、ほとんどの場合は Good morning. と翻訳できる。しかし、夜の商売の従業員は出勤時に「おはようございます」と言うのに対して、英語話者は夕刻に Good morning. とは言わない。

そもそも自然言語の多くの単語は多義的である。それゆえ、言語間の翻訳は構文解析さえ済ませればあとは辞書を頼りに語句を置き換えるだけで済むほど単純ではない。当時開発中の機械翻訳のプログラムを用いて

The spirit is willing but the flesh is weak.
心は燃えても、肉体は弱い。

という慣用句を、ロシア語に翻訳して、それを英語に再翻訳したところ、

The vodka is good but the meat is rotten.

ウォッカは大丈夫だが、肉は腐っている。

が得られたという伝説もある（ラッセル&ノーヴィグ2008, p. 21）。起点言語の語句を目的言語の語句に置き換えるには安直な辞書頼みでは不十分で、場面に応じて訳し分ける必要がある。

多義性の問題は構文解析の段階でも生じる。文は単語を左から右へと一次元的に並べたものではなく、その背後には構造（構文）が隠れているように思われる。なぜなら、同じ文でも構造の違いによって複数の解釈が生じるからである。たとえば、「黒髪の美しい少女が笑った」という文の主語は、［黒髪の［美しい少女］］と［［黒髪の美しい］少女］のどちらとも解釈できる。

われわれはふだんの会話でこのように多義的な構文を頻繁に使っているはずだが、そのことを話し手も聞き手もあまり意識していない。複数の解釈の中からどれを採用すればいいのかは常識や会話の文脈が十分な手掛かりを与えているので、他の解釈の存在に気付かないのである。たとえば、

Time flies like an arrow.

という英文は通常「時間は矢のように過ぎる（光陰矢のごとし）」と解釈される。他の解釈は思い

つかない。ところが、ハーバード大学のグループが開発した英語の構文解析をするプログラムは、この英文が、「時バエは矢を好む」とも解釈できることを発見した。もちろん、時バエ（time fly）などというハエは存在しないが、文法的にはそういう解釈も可能ということである。実際、

Fruit flies like a banana.

なら「ショウジョウバエはバナナを好む」と訳すのが自然である。また、timeには「（時を）測る」という意味の動詞の用法もあることから、問題のプログラムは、この英文が「矢のようなハエを測れ」、「矢のようにハエを測れ」、「矢が測るようにハエを測れ」といった命令文としても解釈できることを発見した（Pinker 1994, p. 209）。

この英文を何通りもの方法で解釈するなど普通は思いもよらないので、この結果には驚かされる。とはいえ、構文的多義性を見出す能力が賢さの印とは限らない。「光陰矢の如し」以外は気付く価値のない解釈だからである。むしろ、気付く価値のある解釈以外を即座に無視できる能力こそが賢さの印だ、と考えるべきである。なぜわれわれにそんな芸当が可能なのかは謎であり、現在でも十分に解明されていない。

こうした状況下で、機械翻訳の現状と将来を調査する諮問委員会（ALPAC）が設置された。1966年にまとめられた報告書は、近い将来に機械翻訳を実用化するのは困難で、言語の理解を

目指す基礎的な研究を行うべきだと提言した[10]。この報告書をきっかけにアメリカでは機械翻訳への予算が打ち切られた。

3-2 パーセプトロンの限界

コネクショニズムについても見ておこう。当初、パーセプトロンは好意的に受け入れられた。ローゼンブラットは、400個の光電管を入力層として、そして、モーターで調節される可変抵抗器を重みとして使用した、特注のアナログコンピュータを作った。このコンピュータは図形の認識で上々の成果を収めたという。1958年の『ニューヨーク・タイムズ』紙は、「今後、パーセプトロンは人を見分けて名前を呼んだり、ある言語での発話をほかの言語の発話や文書へ瞬時に翻訳できるようになると予測されている」と紹介している(Olazaran 1993, p. 341)。

しかし、ローゼンブラットのパーセプトロンはそこまで有能なのだろうか。パーセプトロンで分類できない画像など存在しないのか。

パーセプトロンには以下の定理が成り立つことが知られている(麻生1988, pp. 40–44)。

収束定理　入力データを1と0に分類するカテゴリーが線形分離可能ならば、ローゼンブラットの更新アルゴリズムは有限回で停止し、そのときに得られた重みと閾値は、すべての入力データに対して正解を与える。

「線形分離可能」とは、$w_1x_1 + w_2x_2 + \cdots w_nx_n$ という一次式によって入力データを分割できるという意味である。要するに、この定理は、入力データを適切に分類する適切な重みの値が存在するならば、ローゼンブラットのアルゴリズムに従って重みと閾値を更新していくと、適切な値に収束することを保証する。しかし、これは「入力データを適切に分類する適切な重みの値が存在するならば」という条件付きの主張である。カテゴリーが線形分離可能ならばローゼンブラットのアルゴリズムはうまく機能する、とは言っているが、線形分離可能でない場合については何も言っていない。

線形分離可能ではないカテゴリーの例として、排他的選言（ＸＯＲ）がある。ＸＯＲは二変数のブール関数で、二つの入力のうち一方だけが1のときに限って1となる（表1－3）。

x_1	x_2	y
1	1	0
1	0	1
0	1	1
0	0	0

表1－3　XOR（二変数のブール関数）

ＡＮＤのときには、入力データに対応する平面上の4点をプロットして、一本の直線で分割することで、重みと閾値を求めることができた。しかし、ＸＯＲの場合、分割すべき4点は図1－7のようになる。この白丸と黒丸のパターンを一本の直線で分離するのは明らかに無理である。よって、パーセプトロンではどうあがいてもＸＯＲゲートを実装できない。

ＸＯＲの例はちょっとした例外に過ぎないのだろうか。そうではない。２－２節では、説明のための方便として、パーセプトロンでアラビア数字を認識できるかのように話を進めたが、一般に、入力データの次元が高い画像などの分類はパーセプトロンではうまくいかない可能性が高い。数学者のマーヴィン・ミンスキーとシーモア・パパートは、具体的にどんな場合にパーセプトロンが分類に失敗するのか詳しく調べており、たとえば、パーセプトロンは図形が一本の線で連結しているかどうかを認識できない、と指摘した（**Minsky & Papert 1987**）。彼らの本の表紙（図１－８）にはよく似た二つの図形が描かれており、下の図形は一本の線で描かれているのに対し、上の図形は二本の線で描かれている。パーセプトロンは二つの図形を識別できないということになるが、この例はパーセプトロンが画像の局所的な特徴を認識できても全体的な特徴を認識できないことを示唆する。

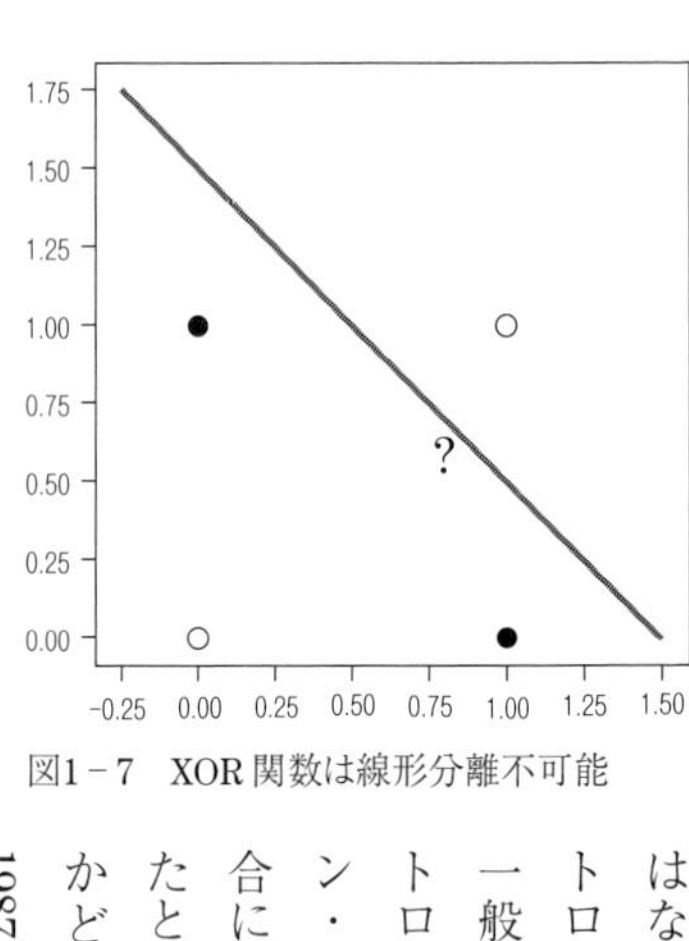

図１－７　XOR 関数は線形分離不可能

後から振り返れば、パーセプトロンの限界がコネクショニズムの限界というわけではなかった。後述する多層パーセプトロンなら線形分離不可能なカテゴリーを分類することも可能である[11]。そして、ミンスキーらの仕事が発表されたのと同時期には、多層パーセプトロンの学習方法も提案されていた。しかし、それが普及することはなく、コネクショニズムはやがて下火になっていった。１９７1年にローゼンブラットが海難事故で亡くなったのもコネクショニズムには不幸な出来事だった。[12]

１９７３年、英国の物理学者ジェームズ・ライトヒルは、ＡＩは実世界で生じるような複雑な問題を解決する能力は持っておらず、ＡＩ研究は宣伝通りの成果をあげていない、と酷評する報告書をまとめた。[13] この報告書は特にヨーロッパで影響力を持ったようで、英国政府はＡＩ研究の援助を（二つの大学を残して）すべて打ち切っている。後にニューラルネットワークの研究で有名になる英国出身の研究者ジェフリー・ヒントンは、ライトヒル報告書がもたらした苦境から逃れるためにアメリカに移ったとのことである（マルコフ2016, p. 184）。

図1－8　*Perceptrons*（Minsky & Papert 1987）の表紙

4　第二次ＡＩブーム——「知識には力が宿っている」

ＡＬＰＡＣ報告書とライトヒル報告書によってＡＩ研究には暗雲が立ち込めたが、１９８０年頃には再び活気を取り戻した。１９８４年７月の『ビジネスウィーク』誌は「人工知能がやってきた！」と題する記事を掲載している（マルコフ2016, p. 164）。この時代の主流は依然として記号主義だったが、コネクショニズムの側にも大きな動きがあった。本節の前半では、記号主義ＡＩの代表例であるエキスパートシステムを取り上げる。後半では、コネクショニズムの新展開として多層パーセプトロンを取り上げる。

4－1　エキスパートシステム

川渡しのような古典的パズルは、たしかに頭を使う。しかし、ライトヒル報告書も指摘するように、こうしたパズルを解けるからといって、実世界で生じる問題を解けるようになるわけではない。古典的パズルと実世界の問題は何が違うのだろうか。

一つの考え方はこうである。古典的パズルは、解くのに必要な情報が問題文の中に埋め込まれており、問題文の意味さえ分かれば予備知識がなくても解ける。[14] 他方、実世界で生じる問題の多くは予備知識がなければ解けない「不良設定問題」である。簡単な物理の問題ですら、運動方程式をはじめとする物理法則の知識がなければ解けない。

一般に、「専門家（エキスパート）」と呼ばれる人々は、それぞれの分野の不良設定問題に対処するために大量の予備知識を身につけている。それなら、コンピュータに実世界の問題を解かせたければコンピュータに大量の知識を与えればよいのではないか。こうして、ある特定の分野に関する知識を大量に取り込んで推論を行うことで、その分野の専門家の仕事を代替するプログラムが数多く開発された。「エキスパートシステム」はそうしたプログラムの総称である。

たしかに、予備知識さえあれば十分だと結論するのは飛躍している。専門家にはそれぞれの分野に熟練する過程で特殊な「直観」を身につけることもあるだろう。しかし、コンピュータに大量の知識を与えたうえで数理論理学のテクニックを駆使すれば実世界の問題が相手でもそれなりのパフォーマンスを示すのではないか、と期待するのはさほど奇妙ではない。人間の専門家とは心理的にまるで似ていない存在になるかもしれないが、実世界の複雑な問題をひょっとしたら人間以上に効率よく解決できるかもしれない[15]。

では、コンピュータに知識を与えて実世界の問題を解かせるとは具体的にどういうことなのか。以下では、**DENDRAL**と**MYCIN**という二種類のエキスパートシステムを紹介する。これらが開発されたのは１９８０年より以前だが、第二次ＡＩブームの火付け役となったエキスパートシステムの代表格なので、取り上げる価値がある。

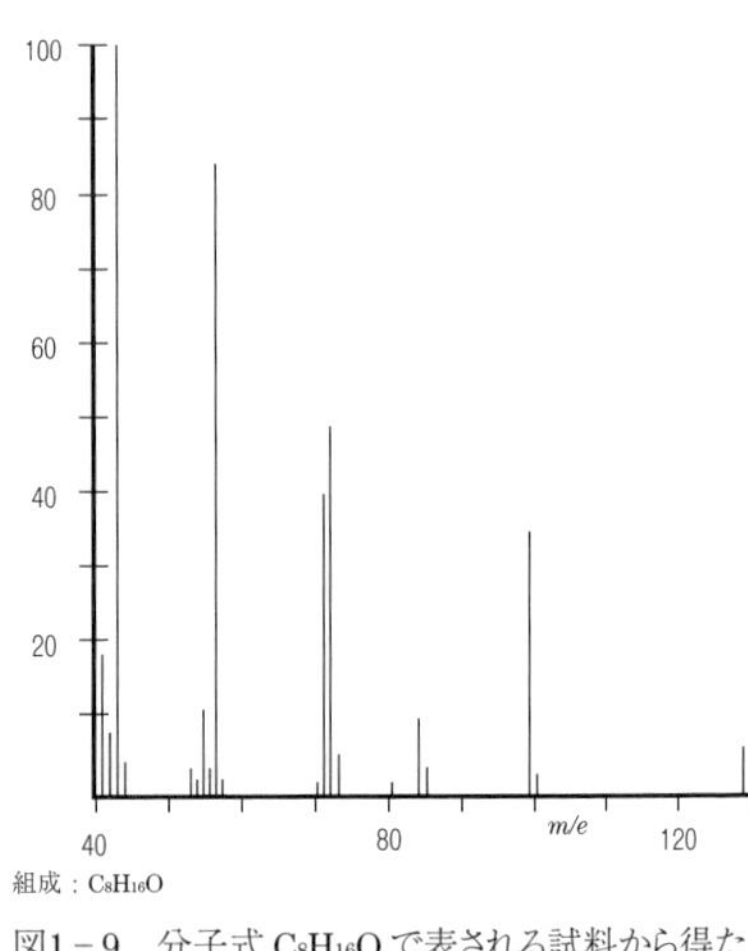

図1－9　分子式$C_8H_{16}O$で表される試料から得た質量分析スペクトル

DENDRALは、サイモンの学生だったエドワード・ファイゲンバウムが中心になって開発した。彼は、あるワークショップで遺伝学者のジョシュア・レーダーバーグ（後にノーベル医学生理学賞を受賞）が、未知の有機分子を、構成要素となっている原子に関する知識と質量分析計から得られたデータに基づいて同定する問題について講演するのを聞いて、この問題を自動的に解決する方法に興味をもった。彼らはスタンフォード大学の同僚でコンピュータ科学者のブルース・ブキャナンらを誘って共同研究に乗り出した。

初期バージョンのDENDRALがどのように動作するのか手短に見ておこう（Buchanan, Sutherland & Feigenbaum 1969; ウィンストン1980, sec. 9.2)。

ある有機化学者が、試験管内のサンプル物質の正体を同定しようとしている。そのための第一歩は一分子あたりの各種原子の数を決定することであり、その結果は化学式で表現される。ここではどうにかして$C_8H_{16}O$と判明したと仮定して話を進める。

しかし、$C_8H_{16}O$という化学式で表される分子構造の候補は千を超える。つまり、個々の原子がどのように配列されているのかは化学式だけでは分からない。そこで、サンプルを質量分析計にかける。[16] 質量分析計では、サンプルの分子を熱して、電荷を帯びた種々の大きさの塊へと分解する。分解された塊が磁場を通過すると、電荷が大きくて質量が小さいものは、電荷が小さくて質量が大きいものよりも多く曲がり、分離されて写真乾板にぶつかる。写真乾板は、ぶつかる数に比例してより黒くなる。こうして横軸に質量電荷比、縦軸に検出強度をとったグラフ（質量分析スペクトル）が得られる（図1-9）。

ここからがDENDRALの出番である。DENDRALはまず、化学式と質量分析スペクトルを手掛かりに、あり得ない構造と必要な構造のリストを作り出す。実は、質量分析スペクトルのピークの配列からは、どういう構造が必要なのか、どういう構造ではありえないのかがすでに判明している。たとえば、

もし、質量電荷比が71の点に高いピークがあり、
　　質量電荷比が43の点に高いピークがあり、
　　質量電荷比が86の点に高いピークがあり、
　　質量電荷比が58の点に高いピークがある
ならば、ノルマルプロピルケトン３の部分構造がある

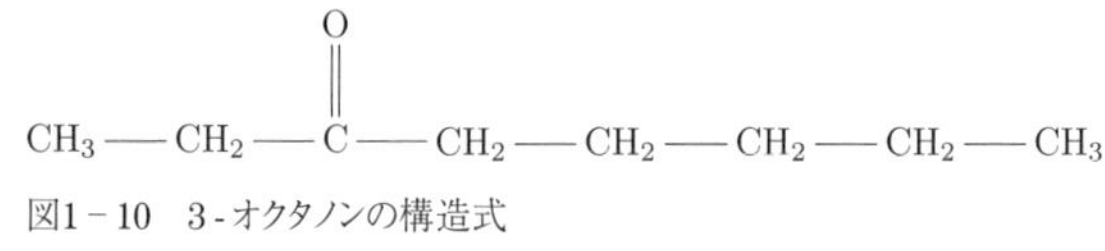

図1－10　3-オクタノンの構造式

といった具合である。「もし…ならば」という条件文で書かれたこのようなルールは「プロダクション」と呼ばれ、DENDRALは100個程度のプロダクションを蓄えている。こうした事前の化学的知識を活用して、DENDRALは$C_8H_{16}O$の可能な構造の数を40程度にまで減らすことができる。

続いて、DENDRALは40程度に減らした可能性に対して、それぞれの構造の物質が質量分析計にかけられたとすればどのようなスペクトルが得られるかを予測する。ここでも（プロダクションの形式ではないが）事前の化学的知識が使われる。こうして予測されたスペクトルを、実際に得られたスペクトルと比較して、最もよく一致する候補を残す。ここでは3－オクタノンの構造式（図1－10）が得られたことにしておこう。

DENDRALの出力は人間の化学者と同じくらい正確だったという。人間の化学者はコンピュータにはない直観を持っているのかもしれないが、条件文で書かれたルールを大量に収集すれば専門家の仕事を代替できる。

ブキャナンはDENDRALと同じような手法を他の分野に応用することを目指し、医学者と共同で血液感染症の診断を行うエキスパートシステムMYCINの開発に着手した。こちらも味見程度に見ておこう。

細菌は血液中に通常存在せず、血液から細菌が検出されるのは異常事態である。

細菌の血液感染に対して、医者はどの細菌が原因になっているのかを突き止めて、抗生物質を処方しなければならない。しかし、決定的な証拠を得るには時間がかかる。重病者はすぐに治療をはじめなければならず、長時間待つことはできない。そこで、手元にある不完全な証拠を活用して、よりよい処置を施すのが次善の策となる。

MYCINは患者の履歴や検査結果を要求して、そこから病気に適した抗生物質を処方する。MYCINとのやり取りは自然言語（英語）で行われる（Davis, Buchan & Shortliffe 1977; ウィンストン 1980, sec. 9.3）。


患者の名前は？

「フレッド・スミス」

男か女か？

「男」

年は？

「55歳」

一般的タイプを指示する陽性の培養基を得たか？

「はい」

それはどのタイプの感染か？

「原発性菌血症」

症状が最初に現れたのはいつか？

「1975年5月5日」

最近の陽性の培養基をCULTURE-1と呼ぼう。CULTURE-1はどの場所から採ったか？

「血液から」

いつ？

「1975年5月9日」

この血液の培養基からの最初の微生物をORGANISM-1と呼ぼう。ORGANISM-1の名前はわかるか？

「いいえ」

ORGANISM-1は桿菌か、球菌か、それ以外か？

「桿菌」

ORGANISM-1のグラム染色は何か？

「グラム陰性である」

……


こうしたやり取りを続けたのち、MYCINは処置を助言する。

私の助言は、ORGANISM-1は1 Pseudomonas-aeruginosa、2 Klebsiella-pneumoniae、3 E. coli、4 B. fragilis、5 Enterobacter、6 Proteus-non-mirabilisのいずれかであるという見解に基づいている。0から4の尺度で大きい方が重いとすれば、患者の症状はどのくらいか？

「3」

患者は何らかの抗生物質に臨床的に重要なアレルギー反応を持っているか？

「いいえ」

患者の体重は？

「70 kg」

最初の助言は次のようである。項目1、2、3、5、6に対処するために、10日間ゲンタマイシン119mg（1・7mg／kg）を8時間おきに静注しなさい。そして項目4に対処するために、14日間クリンダマイシン595mg（8・5mg／kg）を6時間おきに静注しなさい。

冒頭の質問は名前や性別、年齢など決まりきったものであるから、診断を下すうえで重要な情報が得られるかどうかは、中間部分の会話で的確な質問ができるかどうかにかかっている。そのために豊富な医学的知識が必要になる。

医学的知識を表現するにあたり、ブキャナンらはDENDRALと同様にプロダクションを用いるのが適切だと考えた。[17] 実際、MYCINは

もし、感染タイプが原発性菌血症であり、
　培地が無菌であり、
　　推定される入口が胃腸の管である
ならば、その微生物がバクテロイデスであることを示唆する証拠（0・7）がある。

といった血液感染に関するプロダクションを数百個備えている。[18] 個々のプロダクションには、前件が真だとすれば後件が真である見込みがどのくらいかを専門家に尋ねて得られた数値が割り当てられている。このプロダクションでは0・7である。

このような知識に基づいて、MYCINは後ろ向きに推論する。すなわち、ある可能性（たとえば、病原体は大腸菌である）に当たりをつけたら、それが真かどうかを確かめるための質問を行い、見込みが薄ければ次の可能性を検討する。検討されるさまざまな可能性には、それが真である見込みとして確信度係数（confidence factor）という値を割り当てておき、質問で情報が得られるたびに更新する。

確信度係数は確率と似ているが同じではない。実は、確信度係数の計算ルールには欠陥がある

ことが分かっており、今日では廃れてしまった（ラッセル&ノーヴィグ2008, pp. 537–538）。それでも、開発者たちが知識ベースに組み込むプロダクションを慎重に選んだおかげで、MYCINの診断はおおむね正確だった。実際にテストしたところ、MYCINの診断能力はスタンフォード医学校の新米の医者の能力を超え、一部の専門家と同等の成績を示した（Yu *et al.* 1979）。

MYCINは人間の医者と自然言語でやり取りするが、言葉の意味を理解しているのだろうか。残念ながら、そうは考えにくい。MYCINは定型的なやり取りしかできず、血液感染症しか話題にできない。そもそもMYCINは血液感染症のエキスパートとはいっても、人間とはどのような生物なのか、生物はどのように機能するのか、といった事柄に関する当たり前の常識を欠いている。ロボット工学者のロドニー・ブルックスは、大動脈が破裂して患者が毎分1パイントの割合で出血していると伝えた場合でもMYCINは出血の原因となる細菌を見つけようとするだろう、と皮肉った（Brooks 1991）。

MYCINとのやり取りは円滑さという点でも問題を抱えていた。MYCINとのセッションでは、キーボードでタイプするのに一時間半もかかったからである。これは人間の医者による診察が口頭で素早く行われるのと比べて著しく不利である。さらに深刻な問題として、誤診した場合に誰が責任を取るのかという倫理・法律上の問題もあった。結局、MYCINが現場で使われることはなかった。

それでも、膨大な知識を用意すれば「ＡＩは実世界で生じる複雑な問題に対応できない」という批判にもある程度応えられることがわかったのは収穫だった。[19] 問題解決における専門知識の威力を確信したファイゲンバウムは「知識には力が宿っている（in the knowledge lies the power）」と述べた（Shustek 2010）。

ここで重要なのは、専門家に必要な知識が最初から文字に起こされていたわけではない、ということである。医学書の分厚さを考えれば正確な診断にいかに多くの情報が必要となるかは容易に想像がつくが、医学書でもまだ足りない。医者は患者を診察するとき、医学書には明示的に記されていない膨大な量の経験則ないし暗黙知を用いている。そのため、MYCINをはじめとする多くのエキスパートシステムの設計には、専門家への詳細な聞き取り調査が必要となる。逆に言えば、果たしてそれだけのコストに見合うのか、というのがエキスパートシステムの弱点だった。

しかし、その話に進む前に、同時期のコネクショニズムの動向を確認しておこう。

4－2　多層パーセプトロンと逆伝播法

ローゼンブラットのパーセプトロン（単純パーセプトロン）は、入力層と出力層からなるニューラルネットワークだった。これに対し、１９８０年代には、入力層と出力層の間に層が追加されたニューラルネットワークが普及した（図１－11）。

入力層と出力層にはさまれたニューロンの層を中間層（隠れ層）という。中間層のニューロンは、入力層のすべてのニューロンから信号を受け取り、出力層のすべてのニューロンへと同じ信号を送り返す。こうした結合様式を「全結合」と呼び、すべての層間が全結合でつながっているニューラルネットワークを「多層パーセプトロン」という。

新たに追加された中間層はどういう働きをしているのだろうか。この疑問に答えるのは難しいが、おおまかに言って、中間層の機能は、入力データを最終的に何らかのカテゴリーに分類する際に手がかりとなるパターン（特徴量）を抽出することにある。たとえば、画像の分類には、線分や線分の交点といった局所的なパターンを抽出することが鍵になるかもしれない。そうだとすれば、多層パーセプトロンを画像分類に応用する場合、中間層のニューロンには線分や線分の交点を抽出することが期待される。

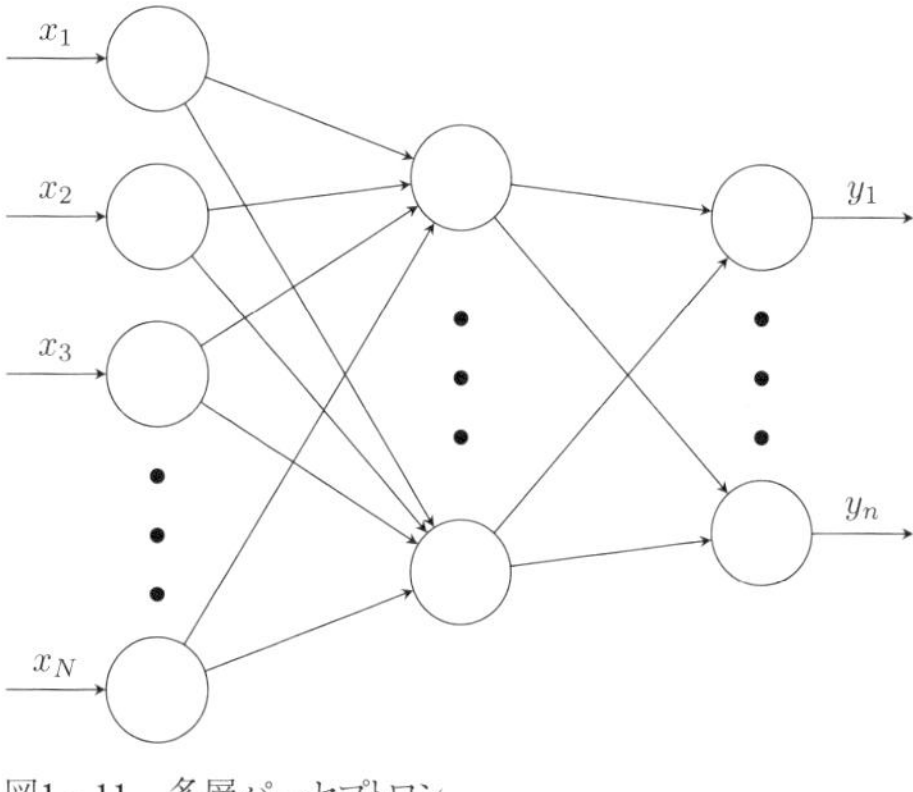

図1－11　多層パーセプトロン

しかし、われわれ人間は画像を一瞥するだけで手書き文字、犬や猫、人の顔などを見分けることができるが、その際にどういう局所的パターンに注目しているのかを自覚しているわけではない。そのため、画像分類において、入力画像からどんな局所的パターンを、そして、何種類の局所的パターンを抽出すべきなのかを前もって把握するのは難しい。長年にわたってニューラルネットワークの研究者たちは、中間層を作ってみては中間層と出力層の間のシナプス結合の重みを教師データに基づいて調節する、という手間のかかる試行錯誤の作業を繰り返してきた。

多層パーセプトロンの重みすべてを、教師データに基づいて自動的に調節する方法はないのか。この困難の解決に向けた取り組みは、ニューロンの出力を確率として解釈することから始まった。どういうことか説明するために、ニューロンをもう一度考察しよう。

2－2節で述べたように、単一のニューロンの出力信号 y は

$$y = \begin{cases} 1 \ (w_1x_1 + w_2x_2 + \cdots w_nx_n > \theta \text{ のとき}) \\ 0 \ (w_1x_1 + w_2x_2 + \cdots w_nx_n \leq \theta \text{ のとき}) \end{cases}$$

と表せる。ところで、同じことは次のように書くこともできる。

$$y = a\,(w_1x_1 + w_2x_2 + \cdots w_nx_n - \theta\,)$$

a はニューロンの出力を定める関数で、「活性化関数（activation function）」と呼ばれる。マカロックとピッツ、そしてローゼンブラットは、ニューロンの出力は全か無かの二通りであり、入力の加重和が閾値を超えたときに活性化し、そうでなければ活性化しないと仮定していた。つま

り、彼らは活性化関数として次のような関数を用いたことになる。

ステップ関数　$a(x) = \begin{cases} 1 & (x > 0\text{のとき}) \\ 0 & (x \leq 0\text{のとき}) \end{cases}$

「ステップ関数」という名前はグラフの形が階段状であることに由来する（図1－12）。

しかし、活性化関数として用いる関数には他にも選択肢がある。たしかに、現実のニューロンは活性化するとごくわずかな時間だけスパイク状の電気信号を発する。その意味で、ステップ関数は現実のニューロンの振舞いを反映している。だが、スパイク状信号を発する頻度に注目すると、ニューロンの出力は全か無かの二通りではない、という見方もできる。典型的なニューロンはどう振る舞うかというと、入力刺激がない状態では稀にスパイク状信号を発するだけだが、刺激が積み重なるにつれてより頻繁にスパイク状信号を発するようになり、ある程度までくると頭打ちになって、入力刺激がそれ以上強くなっても発生するスパイク状信号の頻度は変わらなくなる。ニューロンに対する入力と出力の関係を表すグラフは、ある所を境に急激に変化する階段

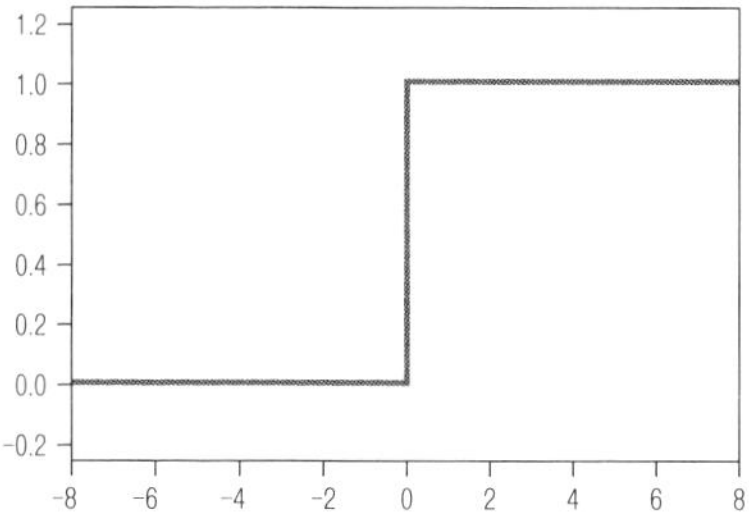

図1－12　ステップ関数のグラフ

よりも、なだらかに変化するS字曲線に似ている（図1－13）。S字曲線のグラフを描く関数としては、シグモイド関数が有名である。

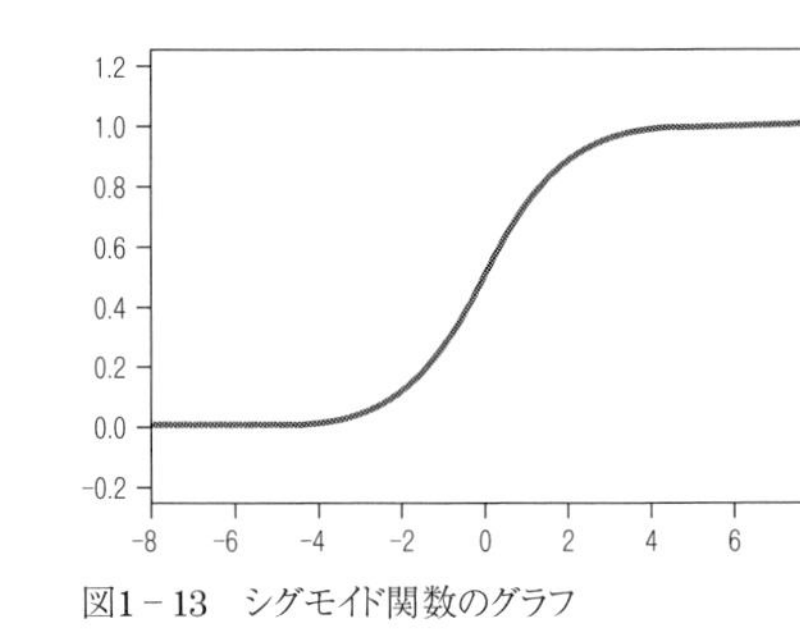

図1－13　シグモイド関数のグラフ

シグモイド関数　$\alpha(x) = 1/(1+e^{-x})$

シグモイド関数は0から1の範囲の実数値を返すため、出力を確率として解釈することができて都合がよい。そこで、活性化関数にはステップ関数の代わりにシグモイド関数を利用しよう[20]。

多層パーセプトロンは、入力の加重和とシグモイド関数を（何重にも）合成して作られた巨大な関数のお化けである。この巨大な関数は、入力信号が何らかのカテゴリーに属する確率を出力する装置といえる。よって、たとえば、多層パーセプトロンにアラビア数字を分類させる場合、出力は、入力の画像が0から9のどの数字でありそうかを示す確率に対応する。

こうした解釈を施す一つの利点は、多層パーセプトロンを構成するニューロン間の重みと閾値を設定するにあたって、確率・統計の手法を援用できることである。特に威力を発揮するのは次の原理である。

最尤原理　現実のデータは、尤度が最大になる事象が実現したものである。

簡単な例で説明しよう。いま、あるコインを5回トスして、表・表・表・表・裏という結果が出たとする。このデータに基づいて、コインの表が出る確率を推測したい。この場合、次のように考える。まず、コインの表が出る確率は p であるという条件下で表・表・表・表・裏という事象が実現する確率（＝尤度）は

$$p \times p \times p \times p \times (1-p) = p^4(1-p)$$

である。最尤原理が述べているのは、この関数（尤度関数）を最大化するような p の値を選ぶべし、ということである。いまの場合は多項式関数なので、高校数学で習う微分の知識を使えば簡単に求められる。途中計算を省いて結論を述べると4／5である。5回中4回表が出ているので、この答えは直観的にも説得力がある。

以上の枠組みを多層パーセプトロンに当てはめるため、次のように考えよう。まず、手元に教師データとして、正解ラベルつきの大量の画像があるとする。正解ラベルはもちろん人間の手作業によってつけられるのだが、ここでは仮想的に、何らかの多層パーセプトロンが偶然にもすべ

	コイントス	多層パーセプトロン
推定したいパラメータ	表が出る確率	重みと閾値
教師データ	各々の試行で表と裏のどちらの面が出たのかを教える	各々の画像がどのカテゴリーに属するのかを教える
推定方法	データが実現する確率が最大になるような、表が出る確率を求める	データが実現する確率が最大になるような重みと閾値を求める

表1－4　コイントスと多層パーセプトロンによる画像分類の比較

ての画像に正解ラベルを貼りつけたとイメージする。この多層パーセプトロンを構成するニューロン間の重みと閾値を推定したい。どうすればよいか。ここで最尤原理を用いる。つまり、そのような偶然が生じる確率が最大になるように重みと閾値を調節すればよい。コイントスのケースと比較すると、表１－４のようになる。

もちろん、二つのケースには違いもある。多層パーセプトロンはあまりにも複雑な関数となるため、この最大値問題はコイントスのケースのようには単純に解けない。しかし、最終的に「逆伝播法」と呼ばれる近似計算法が発見されたことで、多層パーセプトロンの学習がいよいよ可能になった。逆伝播法による学習には膨大な計算を要するため、１９８０年代に作られたネットワークは今から見れば小規模なものだったが、それでも数人の顔写真を識別する、ソナーの反響音から水雷と岩石を識別する、といった複雑なパターン認識ができることが示された（Churchland 1995）。

当時作られたニューラルネットワークでとりわけ注目を集めたのはNETtalkである（Sejnowski & Rosenberg 1987）。これについては、まず研究背景を述べておかねばならない。

1980年代、デジタル・イクイップメント社（DEC）は、目の不自由な人が図書館を利用できるようになることを目指して、印刷文を音読する**DECtalk**というシステムを開発した。**DECtalk**は、まず本や雑誌をスキャナで走査して、ページを構成する一連の文字列を読み取る。次に、複雑なルールにしたがって各入力文字に対してそれにふさわしい発音記号を出力する。最後に、出力された発音記号をシンセサイザーに入力して実際に音声（言語音）を生み出す。**DECtalk**の最も複雑な部分はスキャナやシンセサイザーではなく、各入力文字に対してそれにふさわしい発音を計算する部分だった。というのも、h<u>ea</u>rd, b<u>ea</u>rd, m<u>ea</u>t, gr<u>ea</u>tなどの例に示されるように、英語の綴りと発音は分かりやすい形で対応していないからである。この複雑さは昔から非難の的になってきた[21]。

各入力文字に適切な発音記号を対応づけるには、焦点のあたる文字の前後の文字も考慮する必要があるだろう。そこで、**DECtalk**は、焦点文字とその前の3文字とその後の3文字の合計7文字を入力窓に用いて、この窓を一文字ずつスライドさせながら適切な発音記号を出力するように設計された。しかし、**DECtalk**のプログラムは大量の条件文ルールを用いた複雑なものとなり、開発には数年を要したという。

テレンス・セイノフスキーの研究グループは、複雑な入出力ルールを直接コンピュータに教える代わりに、**NETtalk**と名付けたネットワークに逆伝播法で学習させた[22]。約1000単語からなる小学校一年生の英語のテキストとその全発音を書き出したものを教師データに用いて、7文字

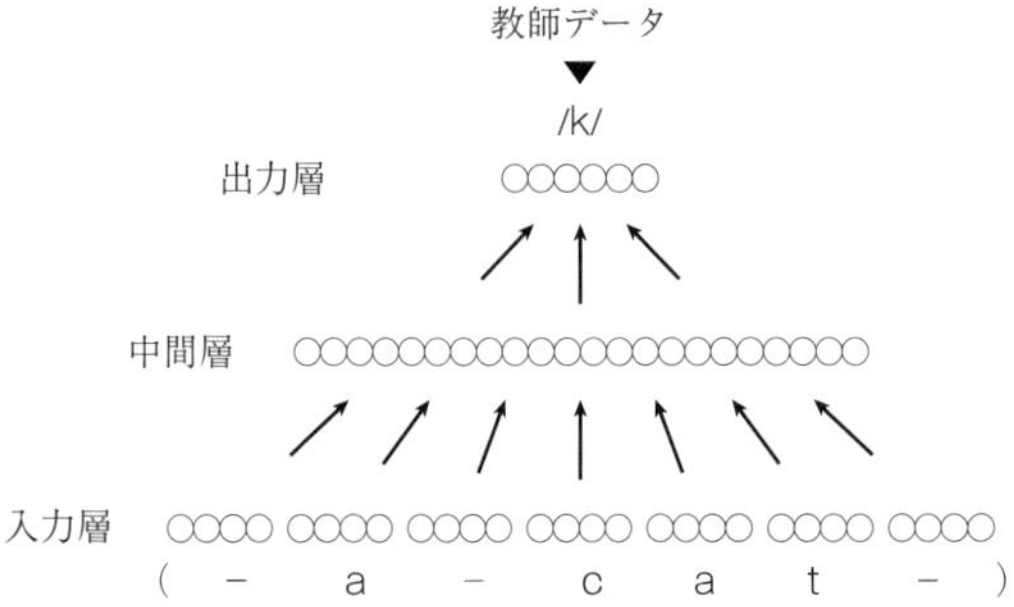

教師データ
/k/
出力層
中間層
入力層
（ － a － c a t － ）

図1－14　**NETtalk**のネットワーク構造

分の入力窓を通して焦点文字に対応した発音記号を出力するようにさせたのである（図1－14）。

NETtalkはプロダクションに相当するルールを使用していないにもかかわらず、学習後には**DECtalk**と同じくらいなめらかに話すようになった。入力した文字を発音記号に変換するための複雑なルールを人間が教え込まねばならなかった**DECtalk**と違い、**NETtalk**はそうしたルールを教わっていない。代わりに、そうしたルールに従った振舞いのパターンを事例から学習したのである。[23]

セイノフスキーらは、学習後の**NETtalk**に入力を提示して正しい発音が出力されたときの中間層の出力を分析している。中間層には80個のニューロンが含まれるので、中間層の出力は80次元のベクトルとして表現できる。この中間層ベクトルを80次元空間の点とみなし、最も近いもの同士から順番にまとめあげたところ、図1－15のような階層構造が得られた。[24]

この図からは、母音の発音に対応するベクトルと子音の発音に対応するベクトルは最も遠くに隔てられていることが読み取れる。逆に、最も近くに位置するのは**s-s**と**s-z**のような文字・発音ペアに対応するベクトルである。たとえば、sissyの下線部を焦点文字として入力するときと、busyの下線部を焦点文字として入力するとき、中間層の出力は似ているのだろう。どうやら、sをsと発音するときに前後に現れる文字と、sをzと発音するときに前後に現れる文字は、似ているようだ。NETtalkは、文字・発音ペアに関するこうした統計的パターンを事例から学習したことになる。

NETtalkは最初、言葉をおぼえはじめたばかりの赤ん坊のように話し、徐々にしゃべれるよう

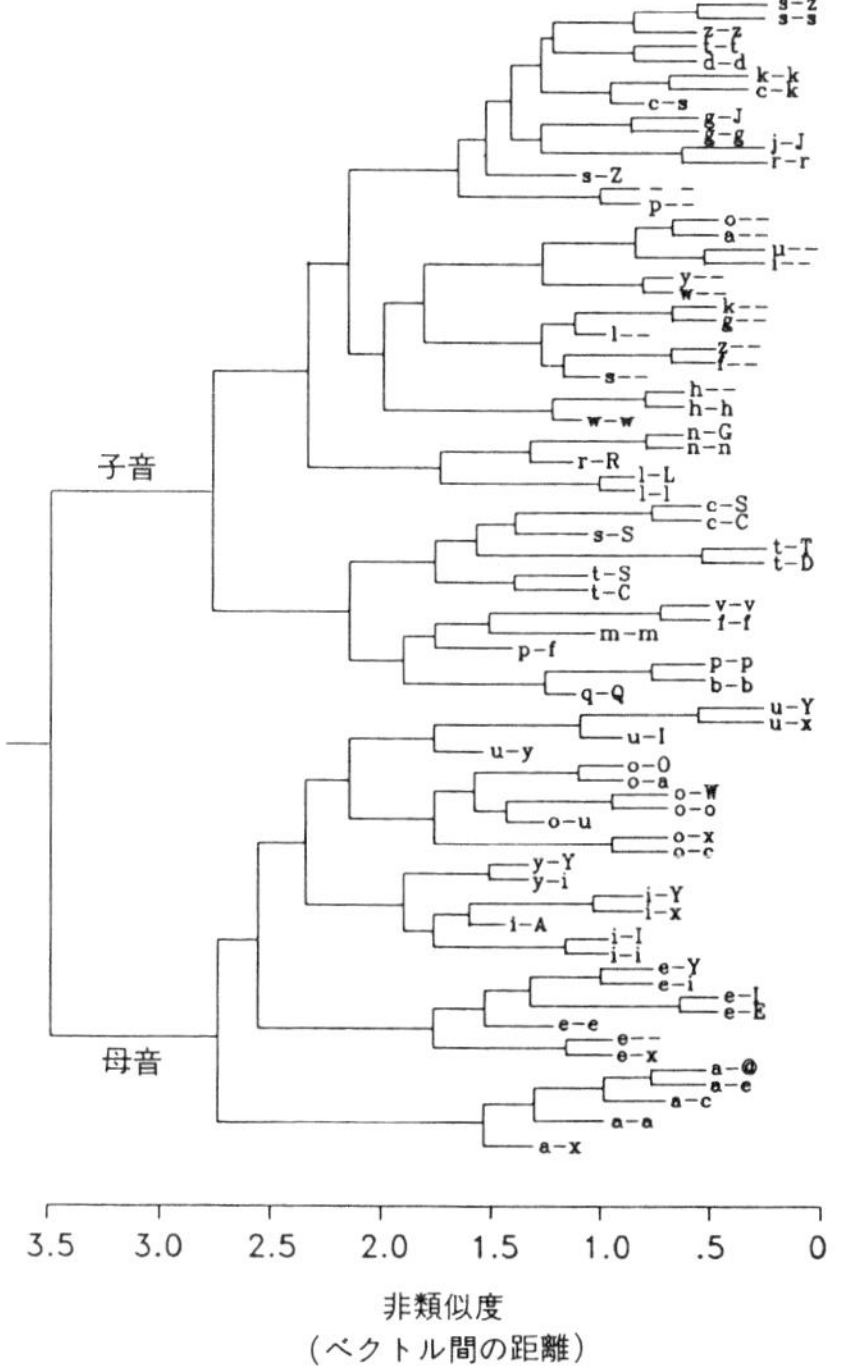

図1－15　NETtalk中間層の活性化空間のカテゴリー階層構造（Churchland 1995の邦訳, p. 114）

になっていったが、その様子は子どもの言語獲得をうまく模倣しているようにも見えた。[25] **NETtalk**のデモンストレーションは各地で好評を博し、セイノフスキーはテレビ番組にも出演したそうである。

ただし、**NETtalk**と人間の類似性を強調しすぎるのは禁物である。人間の子どもは文字の読み方を教わることで話すようになるわけではないし、逆伝播法そのものが生物学的にはありえない学習方式である。ニューラルネットワークの研究は神経科学をインスピレーションの源にするが、人工ニューラルネットワークには「嘘」も混じっている。

生物学を十分に反映していないのであれば、結局のところ、ニューラルネットワークの研究は知能の本質に関する洞察を与えないのではないか、と思う人もいるかもしれない。しかし、自然の模倣は知能の本質を洞察するための最適な手段とは限らない。ライト兄弟は空飛ぶ鳥を模倣して飛行機を発明したわけではなかったし、エキスパートシステムも人間の専門家と厳密に似ているわけではなかった。コネクショニストも同様に、知能の本質を見抜くためには、生物の脳を杓子定規にまねるのではなく一段抽象的なレベルに立つ必要がある、と言うだろう。

5　AIの冬(2)――「あなたたち人工知能研究者はいつもそうやって嘘をつく」

第二次ＡＩブームの全盛期には多くの企業がエキスパートシステムを積極的に導入した。電話回線網を維持管理するエキスパートシステムや橋梁を建設する際の杭選択を支援するエキスパートシステムなど、ニッチな製品が開発された（Nilsson 2009, pp. 302-303）。ところが、１９８７年にエキスパートシステムを開発していたアメリカの企業が倒産したのをきっかけに、市場の期待はしぼんでいった。エキスパートシステムには限界があるという認識が次第に広まっていったのである。

人間に代わってＡＩが現実の問題を解決してくれるという期待が失望に変わった経緯は複雑である。一つにはコストの問題がある。エキスパートシステムの開発には専門家への詳細な聞き取り調査が必要になることはすでに述べた。他の要因としては、フレーム問題も挙げられる（５－１節）。ＡＩ研究の基礎を揺るがしかねないこの問題は、第二次ＡＩブーム以前から指摘されており、研究者の間でもフラストレーションが溜まっていた。

他方、１９９０年代から２０００年代には、インターネットが普及し、画像やテキストといったデータへのアクセスが容易になった（５－２節）。この時代は第三次ＡＩブームの助走とみることもできる。

５－１　フレーム問題

エキスパートシステムの先駆けであるDENDRALの開発は１９６０年代後半にはじまった。一度目のＡＩの冬をもたらしたライトヒルの報告書がDENDRALに一定の評価を与えていたことはよく知られている。逆にいえば、ライトヒルはエキスパートシステムの存在を知っていながら、それにもかかわらず、ＡＩは実世界の複雑な問題に対応できない、と悲観的な結論を下していたことになる。

問題は、エキスパートシステムの規模をどこまで大きくできるのか、という点にある。MYCINは５００程度のプロダクションを備えていた。しかし、プロダクションの数を数千万のオーダーに拡大できるだろうか。プロダクションが多くなると組み合わせの数も爆発的に増加して整合性を検証するのが難しくなる。そもそも、それだけの数のプロダクションを集めるのも容易ではない。

巨大なエキスパートシステムを想定しなければ代替できない人間とはどんな分野の専門家なのか。答えは、意外にもごく普通の人間である。特別な専門知識を持たない一般人も「常識」という名の膨大な知識を有している。たとえば、買い物や片付けといった雑用の中には細々としたルールが大量にある。実世界についての常識を何一つ持たない機械に、買い物とはどういう活動で何をすればよいのかを事細かに説明することを考えると、どれほどのルールを枚挙すればよいのか想像もつかない。

加えて、人々は単に膨大な知識を有しているだけでなく、さまざまな状況下でしかるべき知識を短時間のうちに選び出して、問題解決に応用できる。どうすればこの能力を人工的に実現できるのかは真の難問である。そのことを示すために、哲学者のダニエル・デネットは次のような寓話を考案した（Dennett 1984）。

むかしむかし、あるところにR_1と名付けられた自律型ロボットがいた。R_1は平和に暮らしていたが、ある日、R_1の予備バッテリーをしまってある倉庫に何者かが時限爆弾を仕掛けた。R_1の開発者たちはR_1にそのことを伝えた。R_1はバッテリーの救出に向かい、バッテリーが載ったワゴンを倉庫の外に持ち出した。しかし、不幸にも爆弾はワゴンの上に載っていた（！）。R_1はワゴンを動かすとその上に載っているすべての物体を動かしてしまうことに気づかず爆弾まで持ち出してしまい、爆発に巻き込まれた。

R_1は、ワゴンを動かすとその上に載ったバッテリーを持ち出せることに気づいたところまではよかったが、ワゴンを動かすと他にどんな結果が生じるのかも考慮すべきだった。もっと一般的に言えば、行動を計画する際は、意図した結果だけでなく、副産物として生じる結果も演繹（deduction）する必要があるように思われる。

そう考えた開発者たちは、同じ過ちを繰り返さないように新たなロボットR_1D_1を開発した。そして、問題が解消したかどうかを調べるべく、開発者たちはR_1D_1をR_1と同じ状況に置いてみた。R_1D_1はバッテリーを救出すべく倉庫へ向かい、ワゴンの前にたどり着いた。ここでR_1D_1はワゴンを引くことで生じる結果を演繹しはじめた。ワゴンを引いても壁の色は変わらない、ワゴンを引けば車輪が回転するだろう、などなど。そうこうしているうちに爆弾が爆発してしまった。

ワゴンを引くことで生じる結果は無数にある。たしかに、行動を計画する際は、意図した結果以外の副産物も考慮する必要があるが、すべての結果を演繹しようとすれば計算量が膨大になってしまう。目下の目標は、バッテリーを時限爆弾の爆発から救い出すことなのだから、壁の色などは考慮する必要がなかった。より一般的に言えば、行動を計画する際は、関連性のある事柄とそうでない事柄を区別する必要がある。

そう考えた開発者たちは、新たなロボットR_2D_1を開発した。しかし、R_2D_1は無視すべき事柄とは何かを計算し続けたため、倉庫に入るどころか、何もせずその場で立ち尽くしてしまった。そして爆弾が爆発した……。

現実に起こり得る無数の問題に柔軟に対処できるようなロボットを作ることは難しいようだ。R_2D_1の次に作られるであろうR_2D_2はこうした問題に悩まないのだろう。ちなみに、映画『スターウォーズ』シリーズにはR２－D２という賢いロボットが登場する。

ここで示した問題はばかばかしく思えるかもしれない。実際、一読しただけだと結局何が問題になっているのか分かりにくい。ペースを落として再検討しよう。

まず、知能があるからには実行する前に考えることができるはずだ、と考えるのは自然である。

知的な人は行き当たりばったりに行動するようなことはしない。目標を達成するために、自分が知っていることを利用して次に起こることを予想し、さまざまな方法を比較考慮しながら計画を立てる。

しかし、実行する前に考えるとは、正確には「どのように」考えることだろうか。われわれ自身がどのように考えて日常生活を送っているのかを振り返ってみても、意識にのぼる事柄はわずかであり、人間と同じように計画を立てるＡＩを開発する手がかりは乏しい。

たとえば、朝食を食べるという目標を立てるとしよう。台所に行くと、パンが残っていた。冷蔵庫を開けると、レタスとハムとマヨネーズ、その他諸々の材料が見えた。そこで、サンドイッチを作ると決める。飲み物は紅茶にしよう。棚から皿とコップを取り出して、パンと具材を組み合わせる。お湯を沸かして、紅茶のティーバッグとお湯をコップに注ぐ。あとはそれらを胃袋に流し込めば目標達成である。

言うまでもなく、この記述は粗っぽい。実際には、もっと多くのことを知っていなければならない。冷蔵庫の開け方、お湯の沸かし方、サンドイッチの作り方、サンドイッチの具材は摩擦力のおかげで簡単にはパンの間からずり落ちないこと、右手でコップを持っているなら同時に右手でサンドイッチを持つことはできないこと、など。しかし、こうした平凡な事実の多くは、朝食を作るわれわれの意識にのぼらない。

筋金入りの記号主義者なら次のように言うかもしれない。意識にのぼろうがのぼるまいが、われわれが知っていることであるなら、それらを書き出すことは原理的にはできるだろう。われわれ一般人の世界知識を公理化してそれを知識ベースとし、必要に応じて行為を実行した場合の結果を（述語論理を用いて）演繹すればよいのではないか。

こうした意見に対して、デネットは、人間が述語論理を用いて思考しているという証拠は乏しく、たとえこの点を不問にしても問題は解決しないと論じる。彼の懸念は先ほどの寓話でも示されているが、少し例を変えて述べなおしてみよう。たとえば、時点 t において赤色の木箱がテーブルの上にあったとする。そして、時点 t+1で木箱を庭に動かし、t+2で木箱を青色に塗ったとする。t+1において木箱の位置が庭であること、t+2での木箱の色は青色であることは、以下二つの公理から演繹できる。

1. xを pの位置に動かした後の xの位置は pである。
2. xに色 cを塗った後の xの色は cである。

それでは、t+1における木箱の色とt+2における木箱の位置は何だろうか。常識的に考えれば、t+1での木箱の色は赤であり、t+2での位置は庭だろう。このことは、「物体を動かしても色は変わらない」、「物体に色を塗っても位置は変わらない」といった趣旨のルールから導かれるように思える。そこで

3. xの位置がpであるならば、xに色cを塗った後でもpである。
4. xの色が以前cだったならば、xを動かした後もcである。

という公理を付け加えることが考えられる。しかし、この種の無変化に関するルールには例外がつきものである。たとえば、木箱の移動先がペンキ缶の中であれば、移動後に木箱の色は変わってしまう。3や4は無条件に成り立つわけではなく、「特別な事情がなければ」という但し書きを必要としている。つまり、3や4のようなルールは、基本的にはいつでも（デフォルトに）成り立つのだが、特別な事情がある場合には成り立たない。

目標と関連しない事柄を無視できるというわれわれの能力は、無変化に関するデフォルトのルールを使いこなせることと関係しているように思える。ところが、この「特別な事情がなければ」という但し書きを処理するのは難しい。というのも、標準的な論理学では、ある一群の仮定から特定の結論が導かれるならば、新たに仮定を付け加えたとしてもその結論は導かれることになっているからである。この性質を「単調性」という。単調性は論理学や数学の世界ではたしかに望ましい性質だが、ここでわれわれが必要としているのは、新たな仮定が付け加わったときに必ずしも同じ結論が得られないシステムである。

ＡＩ研究者は、「特別な事情がなければ」という但し書きを伴う推論を形式化すべく、サーカムスクリプションなどさまざまな非単調論理を開発してきた。[26] しかし、デフォルトのルールを使いこなせるためには、限られた時間内に演繹を終える必要がある。先ほどの寓話において、仮に無際限の時間が与えられればR_2D_1はバッテリーを爆弾と切り離して運び出すことができたかもしれないが、時間との勝負に負けた。これほど物騒な状況でなくても時間の問題は切実である。朝食を作る前に餓死するわけにはいかない。

ただし、デフォルトのルールを使いこなせなければ実世界で生きていけない、というのは正しくない。たとえば、地球上のいたるところで繁栄している昆虫は、デフォルトのルールなしで生き抜いている。昆虫がデフォルトのルールを柔軟に使えない証拠として、デネットは動物行動学者の観察を引用する。産卵期のアナバチは、コオロギを針で麻痺させて巣の中に運び込み、卵を産んだ後は巣を封鎖して飛び去り、二度と戻ってこない。卵がかえると、アナバチの幼虫は麻痺したコオロギを食べる。ここで注目したいのは、アナバチが麻痺したコオロギを巣の中に運ぶ際の行動パターンである。アナバチは巣の入口にコオロギを置き、中に入って様子を調べてから、コオロギを巣の中に入れる。この行動は緻密なルーティーンに則っており、実験者がわずかに介入しただけで狂いが生じてしまう。つまり、アナバチが巣の中に入っている隙にコオロギを入口から数インチ遠ざけてしまう。そうすると、アナバチの仕事はゼロからやり直しとなる。まずコオロギを入口に置き、巣の中を調べて（先ほど調べたばかりにもかかわらず！）、コオロギを中に入れる。実験者の報告によれば、アナバチはこの不毛なやりとりを40回ほども繰り返した。

形式的なルールに支配されているアナバチは融通が利かない。それでも、デフォルトのルールがなければ実世界で生きていけないわけではないようだ。アナバチが通常暮らす環境には、こうした意地悪な実験者が存在しないからである。

では、なぜロボットの寓話に頭を悩ませる必要があるのか。それはわれわれの関心が単に実世界で生きていくことではなく、人間並の知能はいかにして可能なのか、という問いに向けられているからである。われわれは自分たちのことをアナバチのような機械仕掛けの操り人形ではないと思っているはずである。われわれならさまざまな仮想的状況でもっと柔軟に立ち回れるだろう。朝食の例を振り返ってみよう。手持ちの材料でサンドイッチを作れるとわかっていても、具材の賞味期限が過ぎていると知れば作るのを止めるだろう。しかし、賞味期限を過ぎたのがたった10分前なら作るかもしれない。ただし、具材が傷んでいるように見えたらやはり作るのを止めるかもしれない……。

われわれはいつもそんなに融通の利く存在だろうか、という疑問はあるかもしれない。たしかに、人間も完全に誤りを免れているわけではなく、当然知っていることをうっかり見落とすことがある。職場からの帰りにスーパーに寄るはずがそのまま帰宅してしまう、ホテルの部屋がオートロックだと分かっていたはずなのに鍵を部屋の中に置いたまま外出してしまう、といったドジを踏むことは誰にでも起こりうる。しかし、デネットはこうした欠陥を認めつつも、われわれに多種多様な問題に柔軟に対処できる知能が備わっているという想定は覆らないと主張する。たぶんその通りだろう。
なぜわれわれは多種多様な問題に柔軟に対処できるのか。私は知人のキリスト者から、それは神の恩寵なのだと示唆されたことがある。アナバチが40回も堂々巡りに陥った状況でも、われわれなら「何かがおかしい」と気づく。こうした気付きはわれわれが神に愛されているからこそ得られるのだ、と。十万年ほど前にアフリカで暮らしていた我々の祖先集団に突如としてそのような気付きが降りてきたとすれば、たしかに奇跡である。しかし、奇跡というのは起こらないから奇跡なのである。多種多様な問題に柔軟に対処できる能力をわれわれが持ち合わせているのは驚異だが、神の奇跡に訴える必要があるとは思えない。もっと巧妙な解決策があるに違いない……。
ここでスケッチした問題は「フレーム問題」と呼ばれることもある（Shanahan 2016）。この用語は研究者や分野によって違う意味で使われるので、ここまで使うのを避けてきたのだが、われわれの関心に即すならば次のようにまとめられる。

フレーム問題　現実に起こりうる多種多様な問題に柔軟に対処できる機械を作るにはどうすればよいのか？

フレーム問題は、記号主義ＡＩの破綻を宣告するためにしばしば持ち出しされる（Tienson 1987）。しかし、エキスパートシステムではダメだとしても、他にどんな解決策があるのかよく分からない。デネットの叙述をみてくると、現実に起こりうる多種多様な問題に柔軟に対処できるロボットを構築することはほとんど絶望的に思える。[27] かつて、哲学者のジェリー・フォーダーは「フレーム問題を解いたと考えている人がいたら、その人はフレーム問題を理解していない」と釘をさした（Fodor 2008, p. 120）。フレーム問題はＡＩ研究に刺さったトゲのようである。

5-2　ビッグデータ時代の到来

エキスパートシステムが人気を落とした一方で、同時期のニューラルネットワーク研究は着実に成果を上げていたように見える。たとえば、１９８０年代後半、ディーン・ポメローの研究グループは、ビデオカメラで捉えた道路の動画像に基づいてハンドルを操作するニューラルネットワーク、ALVINNを開発した（Pomerleau 1988）。彼らはALVINNを搭載した自動車を運転してその間の記録をとり、それを教師データとしてALVINNに適切なハンドル操作を学習させた。そして１９９５年夏、彼らはピッツバーグからサンディエゴまでの２８４９マイルのうち２７９７マイル（約98パーセント）を自動運転で走破した。[28]

多層パーセプトロンとは構造の異なる「畳み込みニューラルネットワーク」というネットワークも開発された。開発者であるルカンの名前にちなんでLeNetと名付けられたネットワークは手書き数字の認識で高い能力を示し、アメリカ合衆国郵便公社や銀行業界で郵便番号や小切手に書かれた数字を自動で読み取るシステムとして導入されるなど、商業的にも成功を収めた。

ただし、ALVINNで自動化されていたのはハンドルによる横方向制御のみで、ブレーキとアクセルは人間の運転手が操作しなければならなかったので、その点は割り引いて考える必要がある。また、LeNetはより複雑な課題をこなせるまで能力が向上しなかった。画像認識に関してはサポートベクトルマシンという強力な代替手段が考案されたこともあり、ニューラルネットワークは次第に人気を失った。[29]

記号主義とコネクショニズムはいわば共倒れとなり、1990年代から2000年代にかけて、AI研究は二度目の冬を迎えた。AIを使えばかくかくのことができる、と主張することさえタブーになってしまった。AI研究者の松尾豊は次のような思い出を紹介している（松尾2015）。2002年当時、松尾は大量のウェブページを分析してキーワードの関連性を取り出す技術を持っており、この技術を使えば適切なウェブ広告を打てるようになると考え研究費を申請した。書類審査には通ったものの、面接では他分野の研究者たちから容赦ないコメントが浴びせられ、しまいには「あなたたち人工知能研究者はいつもそうやって嘘をつく」とまで言われたという。人間に代わってAIが現実の問題を解決してくれるようになるという期待は失望に変わってしまった。

とはいえ、AI研究が停滞したわけではなかった。機械学習の分野では、サポートベクトルマシン、単純ベイズ、条件付き確率場など多様な学習手法が登場した。機械翻訳の分野では、構文トランスファー方式に代わって統計的機械翻訳が台頭してきた。9・11の同時多発テロ以降、アメリカ政府は紛争地域の情報収集を円滑に進めるために再び機械翻訳に巨額の研究予算をつけるようになった。

商業面でも、１９９７年にディープブルーがチェスの世界チャンピオンを撃破したことでＩＢＭの株式時価総額は一週間で１１４億ドル上昇した。２０００年代に入ると、グーグルの検索エンジンや検索連動型広告、アマゾンの推薦システムなど、機械学習を応用したＡＩが成功を収めた。

二回目のＡＩの冬は、インターネットやセンサー、ストレージなどの技術が発達して、従来は容易に入手できなかった画像や音声、テキストといった非定型データを大量に収集できるようになった時代でもある。デジタル写真を撮影するデジタルカメラは、当初こそ画質が悪く不人気だったものの、１９９０年代を通してメーカー間で小型化と高画素数化の激しい競争が行われたことで品質が大幅に向上し、価格も低下した。携帯電話にデジタルカメラが搭載されるようになると、われわれは高画質の写真を手軽に楽しめるようになった。掲示板やブログ、ＳＮＳが普及すると、ネット上には膨大な量の画像やテキストがあふれ出した。近年は静止画だけでなく動画も流通している。おかげで研究者たちは機械学習の「燃料」となるデータをほとんど無尽蔵に収集できるようになった。こうして第三次ＡＩブームの下地ができたところで、いよいよディープラーニングの登場である。

6-1　ディープラーニングの誕生とILSVRC

１９８０年代に一世を風靡した多層パーセプトロンは、わずか一層の中間層をもつネットワークだった。しかし、中間層が一層である必然性はない。洋菓子のミルフィーユのように無数の中間層をもつニューラルネットワークも原理的には可能である。[30] 中間層が二層以上のニューラルネットワークを「ディープニューラルネットワーク」という。

とはいえ、ディープニューラルネットワークの機械学習（ディープラーニング）は技術的に困難で、[31] 層数をわざわざ増やすメリットもないと思われていた。[32] ２００６年、ヒントンが従来よりも層数の多いニューラルネットワークの学習に成功したと報告し、ここにディープラーニングが誕生したが、ディープニューラルネットワークはまだマイナーな存在だった。

転機は２０１２年の「ImageNet 大規模画像認識大会」（ILSVRC）で訪れた。これは画像に映っている物体が何であるかをＡＩに当てさせるコンテストである。参加者はImageNetという１００万枚以上の画像（２５６×２５６のカラー画像）のデータセットでＡＩに学習させ、画像をどの

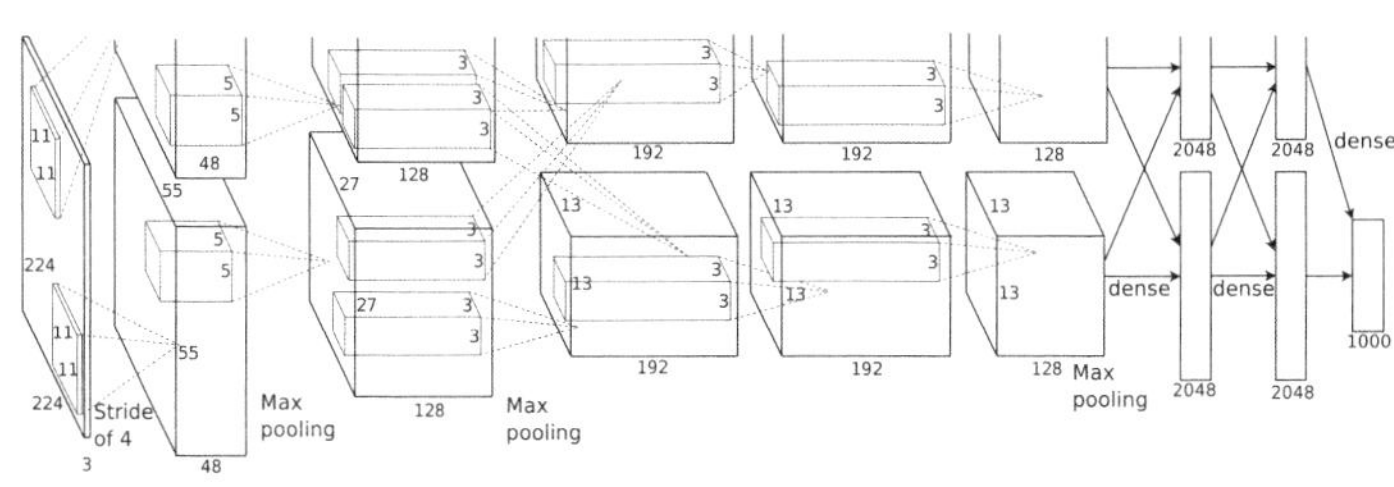

図1－16　AlexNetのネットワーク構造（Krizhevsky *et al.* 2012）

くらい正確に認識できるようになったかを競う。[33] ＡＩは各画像に対して、１０００のカテゴリーの中から５つを正解候補として提示することになっており、正解がこの中に含まれていれば認識したものとみなし、含まれなければ誤認識とみなす。

ImageNetという空前の規模のデータセットは、人間と同じくらい膨大な種類の物体カテゴリーを認識できるＡＩの開発を目指して数年がかりで用意された。インターネットで何万人もの作業員を募って、一枚一枚の画像に正解ラベルをつけてもらったのである。この手法は群衆に業務委託することから「クラウドソーシング」と呼ばれ、機械学習の教師データを用意する手段として普及している。

ILSVRCは２０１０年にはじまった。第一回大会で優勝したのはサポートベクトルマシンを用いたプログラムで、テスト画像に対する誤認識率は約25パーセントだった。[34] 翌２０１１年の大会でもサポートベクトルマシンを用いたプログラムが優勝したが、性能は同程度だった。ところが、２０１２年の大会ではAlexNetという8層のディープニューラルネットワーク（図１－16）が約15パーセントの誤認識率で圧勝した。[35]

この出来事によって、ディープニューラルネットワークは一躍注目を集めた。大会後にAlexNetのソースコードが公開され、大勢の研究者がディープニューラルネットワークの研究に参入しはじめた。その後の進歩は目覚ましく、ILSVRCの優勝者の誤認識率は毎年半分になり、AlexNetもあっという間に小規模のネットワークとなった。たとえば、2015年のILSVRCで優勝したマイクロソフトのResNetは152層である。いまでは層数が千を超えるネットワークも珍しくない。

AlexNet以降のディープニューラルネットワークの成功を支える要素は無数にある（岡野原2022）。ここでは図1－16の読み方の説明も兼ねて、「畳み込みニューラルネットワーク」（CNN）について紹介しよう。

5－2節でも述べたように、CNNは多層パーセプトロンと構造が大きく異なる。たとえば、図1－16を見ると、入力層が四角形で描かれているが、これは、多層パーセプトロンに画像認識を行わせる場合、入力データをベクトルに変換する必要があったのと対照的である。実のところ、二次元画像をベクトルに変換してしまうと、各画素の上下左右など周辺とのつながりが失われてしまう。CNNは二次元画像の構造を保ったまま入力にとるので、画像本来の情報をより有効に活用できる。

また、多層パーセプトロンの場合、各層のニューロンは手前の層に属するすべてのニューロンの出力を受け取る全結合という結合方式が採用されていた。これに対し、CNNは最後の部分でこそ全結合層を用いているが、そこに至るまでは畳み込み層とプーリング層のペアを積み重ねることで構成されている。

CNNを理解する鍵は、この畳み込み層とプーリング層にある。これらの役割は、概略としては次のようである。まず、畳み込み層の各ニューロンは、手前の層に位置する一部のニューロンからの出力を受け取るようになっており、自身が担当する領域に特定のパターンが存在するかどうかを検出する。畳み込み層全体としての出力は、各ニューロンが検出したパターンの分布図（特徴マップ）ということになる。そして、プーリング層は、畳み込み層が作り出した特徴マップに対して、いわば情報圧縮を施す。

これだけでは何のことか分からないはずなので、シンプルな具体例として、画像に映っている図形を○と×のどちらかのカテゴリーに分類するという問題を考察しよう[36]。大まかに言って、○と×は「／」と「＼」という二種類の斜線に分解できる。○の場合、／は左上と右下に現れるが、×の場合は左下と右上に現れる。＼はその逆の現れ方をする。よって、／と＼に似たパターンが画像中のどこに現れるのかが判明すれば、○と×に分類できそうである。

画像中の／と＼は、図1－17のような3×3行列（フィルターと呼ばれる）によって検出できる。つまり、フィルターを画像の一部領域

−0.5	−0.5	1
−0.5	1	−0.5
1	−0.5	−0.5

1	−0.5	−0.5
−0.5	1	−0.5
−0.5	−0.5	1

図1－17　画像中の／と＼のパターンを検出するフィルター

と重ね合わせて、セルごとに数値を掛け算して総和をとればよい。総和が大きいほど、その領域にはフィルターと似たパターンが存在すると推測する手がかりになる。[37] この計算を画像の左上からはじめて、四角いテーブルを四角い布巾で拭くようにフィルターを一マスずつスライドさせては計算を行い、右下に到達するまで繰り返す。そうすると、／と＼に似たパターンの分布が明らかになる。

図1－18　入力画像の一例。これは○として分類したい。

たとえば、○が描かれた8×8の画像（図1－18）に一つ目のフィルターを適用した場合の計算結果は図1－19のようになる。網掛けした部分の計算手順は以下である。

$$0\times(-0.5)+1\times(-0.5)+1\times1+1\times(-0.5)+1\times1+0\times(-0.5)+1\times1+0\times(-0.5)+0\times0=2$$

計算結果の6×6行列は「／」に似たパターンが存在する画像中の位置を表している。このように、画像中に存在する局所的な特徴パターンの分布図（特徴マップ）を作り出すための計算操作が「畳み込み」である。

他方のフィルターを用いて畳み込みを施すと＼の特徴マップが得られる。ところで、こうして得た特徴マップには無駄が多い。画像を○と×に分類するには、画像の左上・右上・左下・右下

$$
\begin{pmatrix}
0&0&0&0&0&0&0&0\\
0&0&1&1&1&1&0&0\\
0&1&1&0&0&0&1&0\\
0&1&0&0&0&0&0&1\\
0&1&0&0&0&0&0&1\\
0&1&1&0&0&0&1&1\\
0&0&1&1&1&1&0&0\\
0&0&0&0&0&0&0&0
\end{pmatrix}
*
\begin{pmatrix}
-0.5&-0.5&1\\
-0.5&1&-0.5\\
1&-0.5&-0.5
\end{pmatrix}
=
\begin{pmatrix}
-1.5&1&1&0&0&-1\\
1&2&-0.5&0&-1.5&0\\
1&-0.5&-0.5&0&-1.5&0\\
0&0&0&0&-0.5&-0.5\\
0&-0.2&0&0&0&2.5\\
-1&0&0&0&1.5&0
\end{pmatrix}
$$

図1－19　畳み込みの計算：図1－18の画像に一つ目のフィルターを適用した場合

それぞれのブロックに／と＼が分布しているかどうかが分かれば十分である。

そこで、特徴マップを左上・右上・左下・右下の４ブロックに分割して、それぞれのブロックの最大値だけを残すことを考える（Max Pooling）。このように無駄を削ぎ落して情報を圧縮する操作が「プーリング」である。図１－19の６×６行列にプーリングを施すと、左上ブロックの最大値が２、右下ブロックの最大値が２・５となり、明らかに左上と右下が際立っている。＼の特徴マップについても同じように計算すれば、画像を○に分類するための有力な証拠が得られるだろう。

もちろん、ここで模式的に示したＣＮＮは単純すぎて実用的ではない。しかし、AlexNetの構造を理解する助けになる。たとえば、図１－16（93頁）中で箱のように描かれているのは畳み込み層である。われわれは／と＼を検出するために３×３のフィルターを二個用いたが、AlexNetの最初の畳み込みは11×11のフィルターを48×２＝96個用いている。また、われわれの例では畳み込みとプーリングを一度しか用いていないが、AlexNetは、畳み込み層とプーリング層のペアを何重にも積み重ねたディープニューラルネットワークである。入力層に近い畳み込み層は線分のように単純なパターンを検出するが、入力層から遠ざかるにつれて、より複雑なパターンを検出するようになり、最終的には犬や猫すら認識するようになる。

また、ここまでの説明ではディープラーニングどころか機械学習をまったく利用しなかった。○×の分類程度であれば、どんなフィルターが必要になるのかある程度見当がつくからである。しかし、もっと複雑なカテゴリーの画像認識をする場合には、どんなフィルターが必要になるのかを事前に予想することは難しい。ここで機械学習の出番となる。CNNにおいて、フィルターの各成分はシナプスの重みに対応している。そして、シナプスの重みは教師データに基づく逆伝播法によって調節できる。学習がうまくいけば、犬や猫のようなカテゴリーを認識するためのフィルターが自動的に得られる。[38]

それにしても、畳み込みやプーリングといったアイデアはどこから生まれたのか、という疑問が湧くかもしれない。実は、視覚の神経科学がヒントになっている。この点についても少し触れておこう。

視覚は、網膜への光刺激が電気信号に変換され、一次視覚皮質（V1）を通って腹側の側頭葉へと至る経路において段階的に処理されることで生じる。その全貌はいまだ不明だが、少なくともV1でどのような処理が行われているのかは比較的よく理解されている。

V1には単純細胞と複雑細胞という異なる種類のニューロンがみられる。[39]単純細胞は、視野の小さな領域（受容野）に対応する網膜の部分と結合しており、自分が受け持っている受容野で特

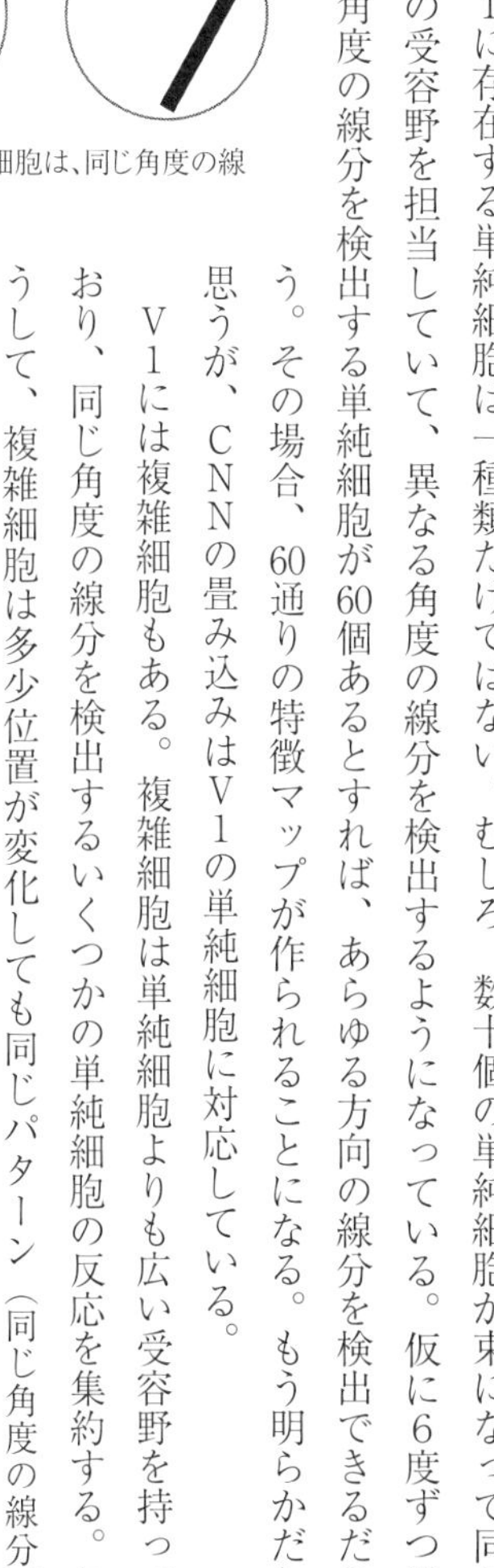

定の方向（角度）の線分を検出すると活性化する。こうした方向検出器の束が受容野ごとに存在し、視野全体を埋め尽くしている。

V1に存在する単純細胞は一種類だけではない。むしろ、数十個の単純細胞が束になって同じ一つの受容野を担当していて、異なる角度の線分を検出するようになっている。仮に6度ずつ異なる角度の線分を検出する単純細胞が60個あるとすれば、あらゆる方向の線分を検出できるだろう。その場合、60通りの特徴マップが作られることになる。もう明らかだと思うが、CNNの畳み込みはV1の単純細胞に対応している。

V1には複雑細胞もある。複雑細胞は単純細胞よりも広い受容野を持っており、同じ角度の線分を検出するいくつかの単純細胞の反応を集約する。こうして、複雑細胞は多少位置が変化しても同じパターン（同じ角度の線分）を検出することができる（図1－20）。CNNのプーリングはV1の複雑細胞に対応している。

大雑把ではあるがAlexNetのメカニズムは以上である。一つひとつのステップは単純だが、それらが積み重なって画像認識が可能になるという雰囲気を味わえたと思う。

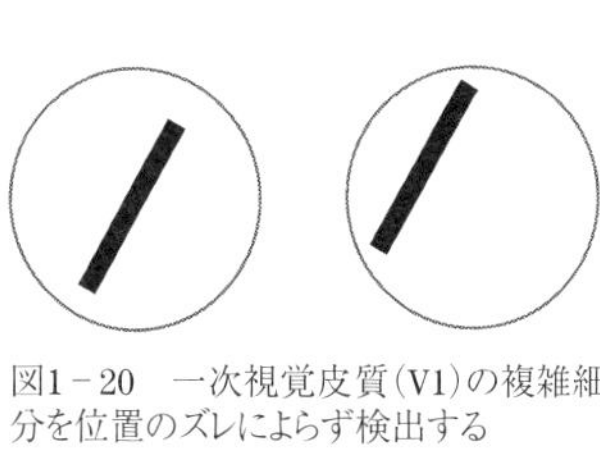

図1－20　一次視覚皮質（V1）の複雑細胞は、同じ角度の線分を位置のズレによらず検出する

6-2　ディープラーニングが応用範囲を広げる

AlexNetが2012年のILSVRCで優勝して以降、画像認識の分野は大きく進歩した。2017年のILSVRCで優勝したニューラルネットワークの誤認識率は約2パーセントである。もはや人間の認識能力と比べて遜色ないという意見も出た。

面白いことに、ディープラーニングの誕生は2000年代、CNNに至っては1980年代後半に提案されているので、AlexNetは既存技術の組み合わせだったとも言える。画像認識用の学習データが整備され、コンピュータの処理速度が向上したことで、ニューラルネットワークはようやく本来の力を発揮できるようになった。コネクショニストたちは「私たちはずっと正しかったのだ」と胸を張るだろう（ドミンゴス2021, p. 209）。

もっとも、不安材料がないわけではない。メラニー・ミッチェルは注意点を二つ述べている（ミッチェル2021, pp. 137–141）。第一に、ILSVRCは画像認識の成功基準がやや変則的である。先ほど述べたように、AIは与えられた画像に対して1000のカテゴリーの中から5つを正解候補として提示して、正解がこの中に含まれてさえいれば認識できたものとみなしている。しかし、ピンポイントで正解を当てさせた場合の正答率は8割程度にとどまる。これでは物体のカテゴリーを正確に認識できるようになったとは言いがたい。

第二に、人間とニューラルネットワークでは間違い方が異なる。人間は、なじみのない犬や鳥、植物の種名を当てなければならない場合に間違う傾向にあるのに対して、ニューラルネットワークは犬の絵や彫刻やぬいぐるみといった抽象的な表現物で間違う傾向にある。この事実は、ニューラルネットワークが人間とは違ったやり方で世界を見ている可能性を示唆する。ニューラルネットワークは画像の「意味」を本当に理解しているのか、と疑ってもよいかもしれない。これは興味深いテーマだが、本書はどちらかといえば言葉の意味に注意を向けたいので、ここでは問題の指摘にとどめておく。

　ともあれ、画像認識で成果を上げたディープニューラルネットワークは機械学習のコミュニティで主流となり、応用範囲を広げている。[40] たとえば、ディープニューラルネットワークを強化学習という別種の学習手法と組み合わせることで、動的な環境で複雑な行動をするＡＩが開発されている。この方面で有名なベンチャー企業のディープマインドは、「ブロック崩し」に代表されるアタリのテレビゲームを巧みにプレイするＡＩを開発している。[41] ２０１６年にはアルファ碁が囲碁のトップ棋士イ・セドルを破り、ディープニューラルネットワークを世に知らしめた。過去の対局から学習する能力を備えているという点で、アルファ碁はかつてカスパロフを破ったディープブルーとはまったく異なる存在に見える。カスパロフ本人の言葉を借りるなら、ディープブルーで一つの時代が終わり、アルファ碁で新たな時代が始まったのである（カスパロフ**2017, p. 112**）。

7　1980年代のコネクショニズム批判

かくして第三次AIブームが到来し、コネクショニストの天下となった。次章では、自然言語処理の分野にディープラーニングが与えたインパクトを見ていく。しかし、本章を終える前に、1980年代の記号主義者によるコネクショニズム批判を一瞥しておきたい。エキスパートシステムは廃れてしまったが、彼らは今でも顧みる価値のある指摘をしていたと思うからである。

本章では、記号主義のAIとコネクショニストのAIをいろいろと紹介してきたが、ここまでの話だと、二つの学派に深刻なイデオロギー対立があるというのは信じがたく思えるかもしれない。たしかに、両学派が取り組んでいる問題はまったく別の領域に属しており、対立など生じようがなさそうである。しかし、人間心理のメカニズムに話が及ぶと、記号主義とコネクショニズムの目指す方向は食い違いをみせる。脳のように複雑なシステムは大きさの異なるさまざまな階層から形成されていると想像できる（cf. Simon 1996, chap. 8）。そのため、脳内で生じる出来事もさまざまな水準で記述できるだろう。原子レベルで記述することも、一つひとつのニューロンのレベルでも記述できる。もっと大雑把に、睡眠状態にあるとか恋愛状態にあるといった素朴な記述もできる。他にもさまざまな水準での記述がありうる。記号主義者はこれらの中間に「記号操作」として記述すべき水準があると主張する。

記号操作するプログラムとして神経回路を「構造化」することで、人間の知能のかなりの部分に説明がつく。特に人間の言語、そして言語と相互作用する推論は記号操作を抜きにしては語れない。これらが認知のすべてではないが、大部分である。記号操作はわれわれが自分自身に向かって、そして、他者に向かって、語れることのすべてなのだから。〔中略〕**walk** を **walked** に、**come** を **came** にして動詞の過去時制を形成するといった英語を話すのに必要なごく単純な能力ですら、計算論的に非常に洗練されていて単一のネットワークでは扱えない。（**Pinker 1997, p. 112**）

以下、二つの事例を取り上げながらこの引用内容を敷衍していく。

7-1　動詞の過去形をめぐって

まず、心理学者のデイヴィッド・ラメルハートとジェームズ・マクレランド（以下、ＲＭと略）が手掛けた、英語の動詞を過去形に変形するニューラルネットワークを紹介したい（**Rummelhart & McClelland 1986**）。このネットワークは、**NETtalk** と並んで１９８０年代のコネクショニズムによる言語処理の研究として有名である。

伝統的に、英語の動詞は、過去形への変形という観点から、規則動詞と不規則動詞の二種類が区別されてきた。規則動詞の過去形は原形に接尾辞 **-ed** を付加して作られるのに対し、不規則動詞の過去形はこの規則に従わない。不規則動詞には多くのバリエーションがあり、たいていは **drink / drank** のように母音を変化させて作られるが、**put / put** のように無変化のものもあれば、**go / went** のように過去形が原形と全く異なるもの（補充形）もある。

しかし、規則動詞と不規則動詞の区別を疑う人もいる。母音を変化させて作られる不規則動詞は歴史的にはもともと規則動詞だった。実際、不規則動詞の過去形は原形から予測できることが多い（**drink / drank** と **sing / sang**、**blow / blew** と **grow / grew** など）。それなら、規則動詞と不規則動詞を厳格に区別するより、むしろ、原形から過去形への変形をある種のパターン認識の問題とみなして、ニューラルネットワークに解かせたらどうだろうか。こうした動機に基づいて、ＲＭは動詞の原形の音韻情報を入力すると過去形の音韻情報を出力するニューラルネットワークの開発を試みた。

一番の問題は、ネットワークの入出力となる単語の音韻情報をどう表現するのか、という点にあった。試しに、英語で用いられる音素に対応するニューロンを用意し、入力される単語に含まれる音素のニューロンだけが活性化する、と仮定してみよう。しかし、この方法では単語に含まれるすべての音素が同時に発話されるも同然であり、**pit / tip** のように同じ音素を含みながら音韻情報が異なる単語を区別できない。

もっと自然な考え方は、単語の音韻情報を時系列順に並べられた音素の列とみなすことだろう。しかし、音素列の長さは固定長ではなく単語ごとに異なる。画像データなら、画像の大きさを一律にそろえることで画素の輝度値を一列に並べたベクトルとして表現することもできるが、単語の発音に関してはそうはいかない。

RMは、個々のニューロンを音素に対応させるのではなく、音素の三つ組に対応させることでこれらの問題を回避しようとした。たとえば、**pit** の音韻情報を **{#pi, pit, it#}** と表現する一方で、**tip** の音韻情報は **{#ti, tip, ip#}** と表現する（「#」は単語の境界を示すために導入した特別な音素）。こうすれば **pit** と **tip** を混同することはないし、長い単語であっても元の音素列を復元できる。RMはこのアイデアを考案した心理学者ウェイン・ウィッケルグレンにちなんで、音素の三つ組を「ウィッケルフォン」と名付けた。

巧妙なアイデアだが、あらゆるウィッケルフォンに対応するニューロンを用意しようとすると、入・出力層のニューロンは膨大な数になってしまう。RMは英語の音素を35個と仮定したので、すべてのウィッケルフォンを表現するのに必要なニューロンの数は35の三乗である（#を考慮すればもっと増える）。個々の単語を入力するときに活性化するのはそのうちわずかである（**pit** で活性化するのは3個）。つまり、ウィッケルフォンによる音韻情報の符号化は冗長である。

RMはこの弱点を克服するために、音素を素性（**feature**）と呼ばれる音声学的特徴の束とみなす音韻論の伝統的なアイデアを採用し、単語の音韻情報を音素の三つ組（ウィッケルフォン）で

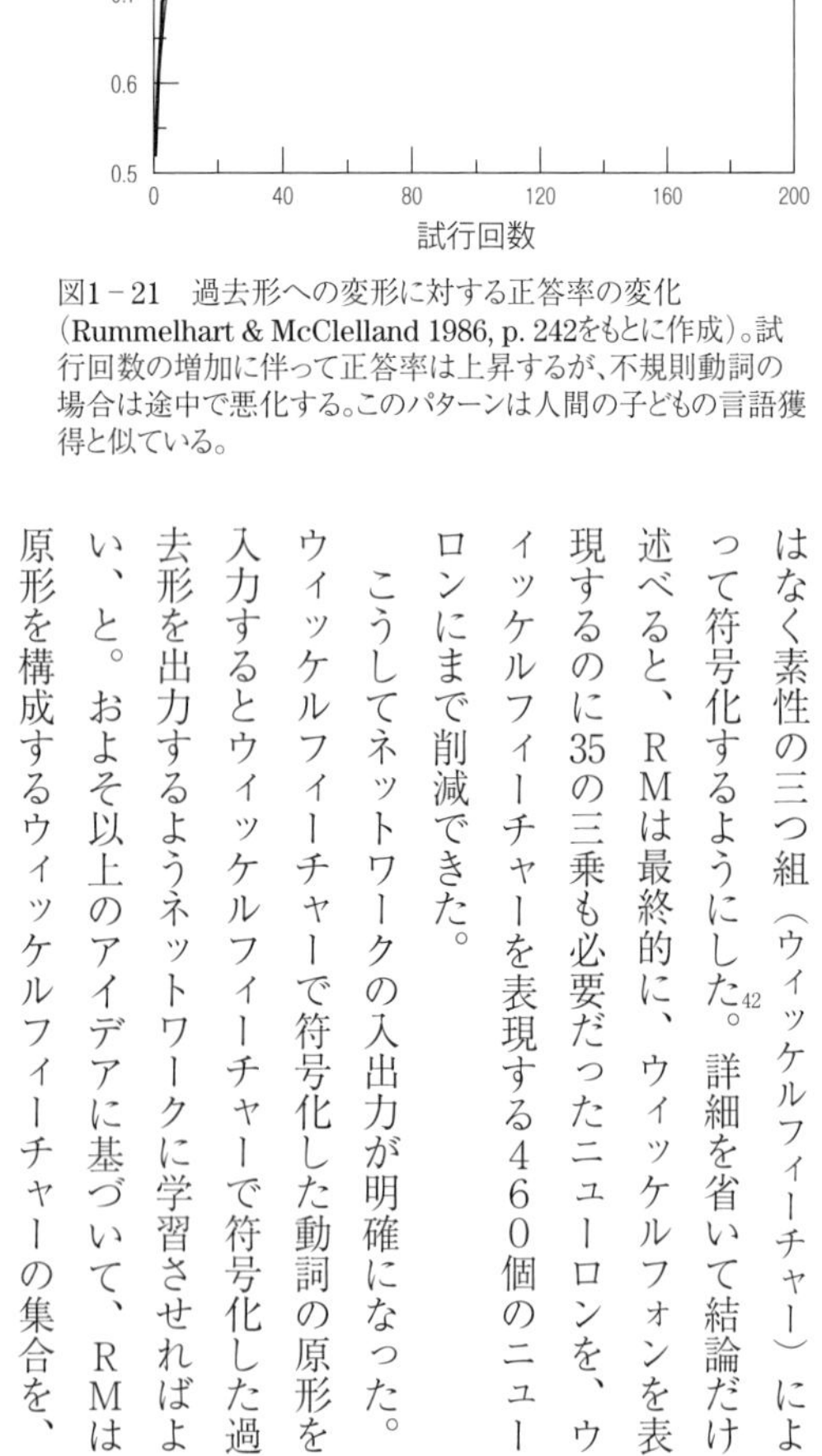

図1－21　過去形への変形に対する正答率の変化（Rummelhart & McClelland 1986, p. 242をもとに作成）。試行回数の増加に伴って正答率は上昇するが、不規則動詞の場合は途中で悪化する。このパターンは人間の子どもの言語獲得と似ている。

はなく素性の三つ組（ウィッケルフィーチャー）によって符号化するようにした。[42] 詳細を省いて結論だけ述べると、ＲＭは最終的に、ウィッケルフォンを表現するのに35の三乗も必要だったニューロンを、ウィッケルフィーチャーを表現する４６０個のニューロンにまで削減できた。

こうしてネットワークの入出力が明確になった。ウィッケルフィーチャーで符号化した動詞の原形を入力するとウィッケルフィーチャーで符号化した過去形を出力するようネットワークに学習させればよい、と。およそ以上のアイデアに基づいて、ＲＭは原形を構成するウィッケルフィーチャーの集合を、過去形を構成するウィッケルフィーチャーの集合へと変形するネットワーク（単純パーセプトロン）を構築した。

ＲＭは、教師データとして、統計的に使用頻度の高い４２０個の動詞（不規則動詞はそのうち84個）をそれぞれ約２００回与えることでネットワークに学習させた。その上で、使用頻度の低い80個の動詞をテストに用いてネットワークの汎化能力を調べた。その結果、高確率で過去形を作ることができた。

学習結果だけでなく、学習過程も印象的だった。ネットワークは当初、規則動詞と不規則動詞をほぼ同じスピードで学習しはじめたが、途中で不規則動詞に関して誤りを犯しはじめ、その後は徐々に規則動詞に近い正確さで過去形を作るようになった（図1-21）。たとえば、eatの過去形として最初はateを使うが、ある時点からate、eated、atedを使うようになり、最終的にateのみを使うようになった。このような学習過程は子どもの言語獲得と似ているという。

動詞の過去形は規則・不規則を問わず単一のネットワークで扱える、と主張するRMの研究は、一時は「言語学の転換点」とも評された。しかし、言語学者のアラン・プリンスとスティーブン・ピンカーは伝統的な言語学の立場から猛烈な反論を行った（Pinker & Prince 1988; Prince & Pinker 1988）。彼らの反論を簡単に紹介したい。

RMのネットワークは動詞の過去形を正確に作っているように見えるが、細かく調べると人間との違いが浮き彫りになる。学習後のネットワークはshapeの過去形をshippedに、mailの過去形をmembledにするといった奇妙な誤りを犯す。不規則動詞の多くは母音を変化させて過去形を作るので、ネットワークはそこから誤った一般化を引き出してしまったのだろう。

また、RMのネットワークはいくつかの動詞については何も出力できなかった。しかし、人間は聞いたことのない動詞であっても過去形を出力できないということはないだろう。過去形を作る際にデフォルトに利用できる明確なルールがあるからである。すなわち、規則動詞の過去形は、原形（語幹）に接尾辞-edを付加することで作られ、この接尾辞-edは以下の音韻論のルールによって三通りの仕方で発音される。[43]

1．もし語幹末尾が歯茎閉鎖音（t、d）ならば、ədと発音する。[44]
2．そうではなく、もし語幹末尾が無声子音（p、k、f、s、ʃ、tʃ、θ）ならば、tと発音する。
3．それ以外ならば、dと発音する。

たとえば、pattedは語幹末尾のtが歯茎閉鎖音なのでəd、walkedは語幹末尾のkが歯茎閉鎖音ではないが無声子音なのでt、joggedは語幹末尾のgが歯茎閉鎖音でも無声子音でもないのでdと発音する。規則動詞の過去形がどう発音されるかは、このルールで「完璧に」予測できる。[45]
もっとも、何が規則動詞で何が不規則動詞なのかを見分ける明確な基準は存在しない。RMは動詞の音韻情報から過去形を予測するネットワークを作ろうとしたが、その狙いは成功しない。なぜなら、同じ音韻情報をもちながら異なる過去形をもつ動詞もあるからである。たとえば、breakは不規則動詞で過去形はbrokeだが、brakeは規則動詞で過去形はbrakedである。ringとwringはどちらも不規則動詞ではあるが、ringの過去形はrang、wringの過去形はwrungである。このように、動詞の過去形は音韻情報だけでは決まらない。おそらく、英語話者は不規則動詞を丸暗記して、それ以外は規則動詞として扱っているのだろう。

ＲＭのネットワークに特有の工夫は単語の音韻情報を音素の三つ組（ウィッケルフォン）によって符号化しようとした点である。ニューラルネットワークの入出力は固定長のベクトルであってほしい。そこで、単語に含まれる音素の時系列が固定長でないという問題に対処する必要があった。しかし、この方法はあらゆる言語に適用できるわけではない。たとえば、オーストラリア先住民の言語には **algal** と **algalgal** という単語があるが、ウィッケルフォンによる符号化ではどちらも **{#al, alg, lga, gal, al#}** となり、違いが潰れてしまう（集合は重複する要素を別々にカウントしないため）。英単語の音韻情報をウィッケルフォンで符号化できたのは偶然にすぎない。また、ウィッケルフォンは心理学的な根拠も欠ける。たとえば、**slit** と **silt** の発音を英語話者は似ていると感じる。こうした類似性は、現代英語に **ask** を **ax** と言う方言があること、**relevant** を **revelant** と言い間違える話者がいること、過去に **brid / bird** や **thrid / third** といった音位転換が生じたことなどと関連する。[46] しかし、**slit** と **silt** をウィッケルフォンで符号化すると、**slit** は **{#sl, sli, lit, it#}**、**silt** は **{#si, sil, ilt, lt#}** となり、両者は共通要素をもたない。

プリンスとピンカーの批判はいずれも説得的に思える。これらの問題点を克服すべくコネクショニストはさまざまな改善案を模索してきたものの、[47] 私自身はこの論争はプリンスとピンカーに分があるという印象を抱いている。しかし、この印象が正しいかどうかは分からない。少なくとも、プリンスとピンカーの批判によってニューラルネットワークの限界が示されたと結論するのは早計である。なんといっても、最近の自然言語処理で優勢となっているのはコネクショニズムなのである。ニューラル言語モデル（これについては次章で説明する）は機械翻訳をはじめとするさまざまな言語処理の課題で優れた成績をあげている。ある界隈では「言語学の専門家がチームから去るたびに翻訳の質が上がる」と皮肉られているという（マイヤー＝ショーンベルガー、クキエ2013, p. 214）。動詞の過去形についてはうまくいっていた言語学がなぜこうも圧倒されるのか、というのは考えさせられる問題である。

ところで、動詞の過去形をめぐる論争は、言語マニア向けのローカルな話題という印象を与えたかもしれない。しかし、動詞の過去形について一冊まるごと費やして論じたスティーブン・ピンカーに言わせれば、動詞の過去形を使いこなす能力には、言語そのものを使いこなす人間心理の本質が表れている（Pinker 1999）。どういうことか。

自然言語の語彙には数十万というオーダーの単語が含まれる。われわれは膨大な量の単語を、発音、意味、文法カテゴリー（品詞）まで含めて丸暗記する記憶能力を備えている。われわれの頭の中には心的辞書（mental lexicon）が存在し、語彙を増やすたびにこの辞書の中に発音、意味、文法カテゴリーが登録されるのだろう。とはいえ、どんな言語でも語彙の数はたかだか有限である。有限個の単語を丸暗記するだけでは無限に多様な表現を使いこなすことはできない。無限に多様な表現を使いこなすには、一定のルールに基づいて単語を組み合わせる能力が不可欠である。したがって、われわれの心理には言語使用を可能にする二つの基本的部品（丸暗記とルール）があることになる。

この仮説を「二重メカニズム説」と呼ぶ[48]。動詞の過去形を使いこなす能力は、二重メカニズム説の特殊ケースである（伊藤・杉岡2002）。つまり、不規則動詞には丸暗記、規則動詞にはルール、という具合に別個のメカニズムが存在する。そして、ルールのおかげで、われわれは聞いたことのない動詞でも過去形を作ることができる、というわけである。二重メカニズム説の考え方は言語処理のさまざまな場面で威力を発揮するので、覚えておく価値がある。

7－2　思考の生産性と体系性

複雑な文を発話するとき、あるいは、声に出さずに心の中で何かを思考するとき、われわれの脳内では何が起こっていることになるのだろうか。一つの考え方は、心的辞書からいくつかの単語が選ばれ、文法のルールに基づいて文が組み立てられ、それが音韻ルールに基づいて音のイメージに変換される、といったものである。記号主義者の中には、これと正確に同じではないにせよ似たようなこと（何らかの記号操作）がわれわれの脳内で実際に生じていると言う人々がいる。たとえば、哲学者のフォーダーと心理学者のゼノン・ピリシンによれば、われわれの思考は言語的に構造化されている。われわれの脳内にはある種の特別な言語が存在し、その言語の操作によって、思考活動が成立する。彼らの考えでは、身体の外側に現れている言語がしかるべき構造をしているのは、むしろわれわれの思考そのものが言語的構造を備えていることを反映しているのである。

この主張はグロテスクで常識外れに聞こえる。脳内に特別な言語があるとは具体的にはどういうことか、その言語は自然言語とどのくらい似ているのか、人類に普遍的に備わっているのか、どんな語彙とどんな文法ルールを備えているのか、などなど数々の疑問を呼び起こす。フォーダーらはこれらの疑問に対してスケッチ以上の答えを与えていないが、それにもかかわらず脳内に「思考の言語」が存在すると想定すべき理由があると主張している（Fodor & Pylyshyn 1988）。

われわれは、実世界でどのような事態が成立しているのかを、たとえば、外では雨が降っているのか、ロシア・ウクライナ戦争はいつ終わるのか、といったことを考えることができる。フォーダーらは、こうした思考には「生産性」と「体系性」という二つの特徴がある、と指摘する。生産性とは、無限に多くの可能性を考えることができ、考えられるということである。たとえば、ジェームズは諜報員であるという可能性を考えることができる人がいるとしよう。この人は、ジェームズはトルコにいないという可能性を考えることもできるだろうし、ジェームズは諜報員であり、かつ、トルコにいない、という可能性も考えることができるだろう。一般に、何らかの可能性を考えることができるなら、それよりも複雑な可能性も考えることができるはずである。これに対し、体系性とは、もしある可能性を考えることができるならそれと構造的に関連する別の可能性も考えられるということである。「構造的に関連」という表現を正確に定義するのは困難だが、具体的には、ジェームズがタチアナを愛しているという可能性を考えることができる人ならば、タチアナがジェームズを愛しているという可能性も考えられるはずだ、といったことが念頭に置かれているようだ。たしかに、一方の可能性しか考えられない、というのは奇妙である。

フォーダーとピリシンによれば、生産性と体系性は思考が成立する上で不可欠の特徴である。そして、なぜ思考がこれらの特徴を備えているのかといえば、思考がそもそも言語的に構造化されているからだと結論するのが最も合理的である、と主張する。思考が生産的なのは、文法ルールによっていくらでも新しい言語表現を生み出せることから説明がつく。「ジェームズは諜報員である」と「ジェームズはトルコにいる」という文を理解できる人は、「ジェームズはトルコにいない」という文や「ジェームズは諜報員であり、かつ、トルコにいない」という文を理解できるだろう。思考の体系性も文法ルールによって説明がつけられる。「○○が××を愛する」という二項関係には名詞を代入できる二つの空所がある。「ジェームズ」と「タチアナ」をそれぞれの空所に代入できる人なら、代入する順序を逆にすることもできるはずである……。

このトリッキーな議論は多くの哲学者の関心を引きつけ、1990年代には膨大な数の論文が書かれた（Bechtel & Abrahamson 2002, chap. 6）。最も素直な反論は生産性と体系性を備えたニューラルネットワークを作れると示すことだと思われる[49]。そもそも、なぜニューラルネットワークでは生産性や体系性を実現できないと批判されるのか。

フォーダーらの答えは、ニューラルネットワークは記号を組み合わせることができないから、

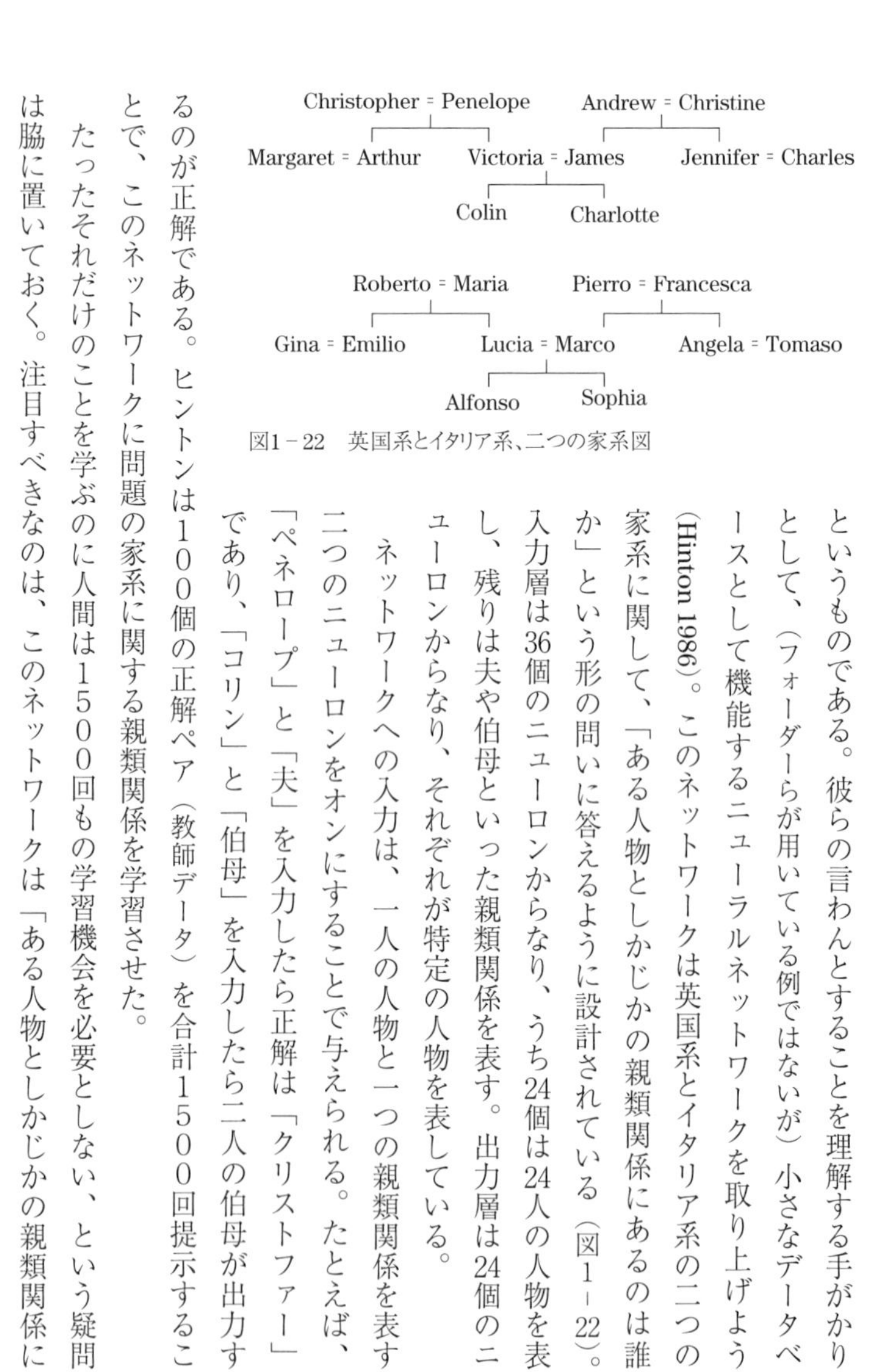

図1－22　英国系とイタリア系、二つの家系図

というものである。彼らの言わんとすることを理解する手がかりとして、（フォーダーらが用いている例ではないが）小さなデータベースとして機能するニューラルネットワークを取り上げよう（Hinton 1986）。このネットワークは英国系とイタリア系の二つの家系に関して、「ある人物としかじかの親類関係にあるのは誰か」という形の問いに答えるように設計されている（図1－22）。入力層は36個のニューロンからなり、うち24個は24人の人物を表し、残りは夫や伯母といった親類関係を表す。出力層は24個のニューロンからなり、それぞれが特定の人物を表している。

ネットワークへの入力は、一人の人物と一つの親類関係を表す二つのニューロンをオンにすることで与えられる。たとえば、「ペネロープ」と「夫」を入力したら正解は「クリストファー」であり、「コリン」と「伯母」を入力したら二人の伯母が出力するのが正解である。ヒントンは１００個の正解ペア（教師データ）を合計１５００回提示することで、このネットワークに問題の家系に関する親類関係を学習させた。

たったそれだけのことを学ぶのに人間は１５００回もの学習機会を必要としない、という疑問は脇に置いておく。注目すべきなのは、このネットワークは「ある人物としかじかの親類関係にあるのは誰か」という問いに特化していて「誰がある人物としかじかの親類関係にあるのか」という問いには答えられない、つまり、さまざまな仕方で検索可能なデータベースになっていないことである。これは興味深い現象に思える。少なくとも「ペネロープ」と「夫」という入力に「クリストファー」を出力できる以上、このネットワークはペネロープの夫がクリストファーであるという情報を蓄えているはずだからである。こうした親類関係の情報は一体どのような方法で蓄えられているのか。

その答えは、ネットワーク中のシナプスの重みによって、というものである。「コリン」「母親」「ヴィクトリア」に相当するニューロンは存在するが、[50] これらの記号が組み合わさった「コリンの母親はヴィクトリアである」という文に相当する単位はネットワーク中に存在しない。親類関係についての情報はネットワーク中のシナプスの重みに溶け込んでおり、いわばネットワーク全体で親類関係についての全情報を表現している。

いまの例はニューラルネットワークがどのように作動するのかを説明するために作られた貧弱なネットワークなので、この例一つでコネクショニズムの限界を指摘するつもりはない。ここでは、生産性と体系性を実現するニューラルネットワークがどのような形をとるのかは明らかではない、ということが確認できれば十分である。最近のコネクショニズムはフォーダーとピリシンの挑戦に答えることができたのだろうか。次章で議論しよう。

8　残された疑問――ニューラルネットワークは自然言語を扱えるのか?

本章では、第一次ＡＩブームから現在も続く第三次ＡＩブームまでのＡＩ研究の歴史を、記号主義とコネクショニズムという二つの学派の動向に注目しながらおさらいしてきた。

本章の冒頭で述べたように、記号主義は人々が意識的に問題に取り組む際に典型的にみられるようなルールに則った思考に焦点を当てる傾向があるのに対して、コネクショニズムは画像などのパターン認識における無意識の思考に焦点を当てる傾向にある。両者は単に得意分野が違うだけだと考えることもできる。たとえば、自動運転車の開発では、路上の物体の検出や位置特定などにはニューラルネットワークが使われる一方、車線や歩道、車や歩行者などを見たあとに自動運転車が何をするのかを決める行動計画には記号主義ＡＩが使われるといった具合に、両者の強みと生かして二種類のＡＩを組み合わせることも多い。

しかし、記号主義とコネクショニズムの知能観には対立する場面もある。自然言語を扱う単一のネットワークなど存在するのか、記号操作という水準を設定せずに思考の生産性と体系性を説明することなどできるのか。これらの論点は、１９８０年代の第二次ＡＩブームの頃に提起された。コネクショニズムが栄華を極めている現在、かつて提起された問題は解消されたのか、それとも目立たない形でなおも問題であり続けているのだろうか。次章で考察しよう。ＡＩは意味を理解するのか、という序章で立てた問題への手がかりもそこから得られるだろう。

文献案内

ＡＩ研究を一般向けに紹介したものとしては、メラニー・ミッチェル『教養としてのＡＩ講座』（日経ＢＰ２０２１年）とヤン・ルカン『ディープラーニング』（講談社２０２１年）の二つが出色である。

ＡＩ研究の歴史については、やや古いが Nils Nilsson, *The Quest for Artificial Intelligence*, Cambridge University Press, 2009が手堅い。著者のニルソンはA*アルゴリズムやSTRIPSの開発者の一人として著名である。この本は写真も豊富に掲載されていて楽しく読める。

ＡＩ研究の教科書は、Stuart Russell & Peter Norvig, *Artificial Intelligence*, 4th edition, 2020が有名だが、この本はどちらかというと百科事典として有用だと思う。私は通読しようとして早々に挫折したことを白状しておく。ちなみに、第二版には邦訳がある（『エージェントアプローチ人工知能』共立出版２００８年）。最新の第四版では、ニューラルネットワークと強化学習の解説に多くの紙幅が費やされている。

機械学習に関する読み物では、ペドロ・ドミンゴス『マスターアルゴリズム』（講談社２０２１年）が面白い。記号主義・コネクショニズム・進化計算・ベイズ主義・類推主義という五つの学派とそれぞれの学派の基幹となる学習アルゴリズムを数式ぬきで解説している。ただし、個々の学習アルゴリズムの説明は簡素なので、予備知識がないと分かりにくい。杉山聡『本質を捉えたデータ分析のための分析モデル入門』（ソシム２０２２年）などの概説書で準備を整えておくとよいだろう。

ＡＩと認知心理学の関係を解説したものとしては、スティーブン・ピンカー『心の仕組み』（ちくま学芸文庫２０１３年）がある。この本（原題は *How the Mind Works*）の批判として書かれた Jerry Fodor, *The Mind Doesn't Work That Way*, MIT Press, 2000と、それに対するピンカーの応答 "So how does the mind work?", reprinted in S. Pinker. *Language, Cognition, and Human Nature*, Oxford University Press, 2013もあわせて読むとよい。フォーダーとピンカーは共に記号主義者だが、フォーダーはフレーム問題に関する悲観論とダーウィニズムに対する懐疑論を展開している。前者の指摘は一理あると思うが、後者に関してはピンカーをはじめ進化生物学に造詣の深い多くの研究者が苦言を呈している。

ＡＩを取り上げた哲学の文献としては、ティム・クレイン『心は機械で作れるか』（勁草書房２００１年）、Andy Clark, *Mindware*, 2nd edition, Routledge, 2014などが定評ある教科書である。個人的に、クレインの本は心の哲学に関心をもつきっかけとなった思い出深い一冊である。これも古い本だが、原著は改訂第三版が2015年に出ている。渡辺慧『認識とパタン』(岩波書店1978年)、ギルバート・ハーマン、サンジェーヴ・クルカルニ『信頼性の高い推論』(勁草書房2009年)は、普遍論争や帰納法の問題という哲学で古くから論じられてきた話題に機械学習の観点から光を当てている。

注

1 ダートマス会議に至るまでの経緯は(杉本2018, chap. 6)を参照。

2 「人工知能」という言葉は現在ではすっかり定着したが、「人工」には「人工甘味料」のようにまがい物のニュアンスがあるので、ダートマス会議の参加者たちはこの呼び名を気に入っていなかったらしい。ニューウェルとサイモンは自分たちの仕事を「複雑な情報処理(complex information processing)」と呼んでいた(Simon 1996, p. 4n2)。

3 記号主義とコネクショニズムの対立は、近世哲学における合理主義と経験主義の対立に由来する、という見方もある(cf. Pinker 1999, pp. 87–90)。しかし、本書ではそこまで話を広げるつもりはない。

4 ランド研究所は、アメリカ陸軍航空軍(のちの空軍)が第二次世界大戦後の戦略立案を目的として設立したシンクタンクである。

5 *Journal of Symbolic Logic* 誌の編集者は、ロジック・セオリストによる証明の掲載を拒否した。結局、この仕事は心理学の専門誌 *Psychological Review* に掲載された。

6 川渡りのパズルは「宣教師と人食い人種」と呼ばれていたが、差別的な表現であることからホビットとオークに変更されたものと思われる。このパズルには長い歴史があり、8世紀の学者アルクィンが著した『青年達を鍛えるための諸命題』にも同様のパズルが見られる（三浦1997）。

7　このテスト方法には、そもそもプロトコルは人間が問題を解決する際の心理プロセスを忠実に表しているのか、という疑問がありうる。頭の中で考えたことをすべて報告しながら問題を解くという作業は苦痛であり、単に問題を解くのとは違う作業に被験者を従事させているように思える。意識に上るのは我々の思考の一部にすぎず、意識に上るときにはすでに何らかの編集がなされていないだろうか。こうした懸念は排除できていない。

8　二値であることが本質的なので、1と0でなくてもよい。たとえば、活性化を1に、不活性を-1に対応させる場合もある。

9　ここでいう「3」の画像を認識する装置は、特定の白黒パターンだけを「3」に分類し、それ以外の白黒パターンを「3」でないものに分類する装置ではない。「3」に分類すべき24画素の画像は、この図に描かれた特定の白黒パターンだけではない。大きさやフォント、位置などが異なる「3」の画像は他にもある。「3」の画像を認識する装置に求められているのは、まだデータとして与えられたことがない画像であったとしても、「3」かどうかを識別することである。

10　ＡＬＰＡＣ報告書は以下のサイトで読める。https://www.nap.edu/html/alpac_lm/ARC000005.pdf

11　排他的選言は中間層をもつ多層パーセプトロンで計算できる。「p XOR q」という命題は、「(p AND NOT-q) OR (NOT-p AND q)」と同値である。そこで、入力が「p AND NOT-q」を満たすかどうか、「NOT-p AND q」を満たすかどうかを中間層で調べ、このどちらかを満たすかを出力層で調べればよい。

12　ローゼンブラットは天文学ではトランジット法の提案者として知られる。これは遠くの恒星のまわりを公転する惑星（系外惑星）を見つける方法の一つで、惑星が恒星の前を通過した時に光度がわずかに落ちる現象を計測する。ちなみに、２０１９年のノーベル物理学賞は系外惑星の発見者に贈られた（セイノフスキー 2019, p. 331n7）。

13　ライトヒル報告書は以下のサイトで読める。http://www.chilton-computing.org.uk/inf/literature/reports/lighthill_report/p001.htm

14　不良設定問題でなくても、チェスのように問題空間が大きなゲームでは事前知識が重要になる。チェスをプレイするだけなら駒の合法的な動かし方だけ知っていればよいが、定石を知らずに優れたプレイヤーに勝つのはまず不可能である。

15 たとえば、導出原理（**resolution principle**）を用いた自動定理証明は、人間なら絶対に行わない機械的な方法で命題の妥当性を判定する手法である。

16 現在の有機化学者は質量分析計の他にも核磁気共鳴分光装置（ＮＭＲ）などにも基づいて分子構造を推定するが、以下で述べる基本方針はそれほど変わらないと思う。

17 医学史の研究によれば、紀元前17世紀頃の古代エジプトのパピルスにもプロダクションを用いた医療診断の様子が記されているという（**Nilsson 2009, p. 292**）。

18 **MYCIN** のプロダクションは開発当初は２００個程度だったが１９７８年には５００個程度に増加した。**MYCIN** は医学的知識を表現する知識ベースと診察の過程で用いられる推論エンジンを分離しており、知識ベースにプロダクションを追加することでシステムのアップデートが可能になっている（**Nilsson 2009, pp. 293–294**）。

19 **MYCIN** をはじめとする当時の医療ＡＩについては（**Cawsey 1998, chap. 3; Gillies 2003**）を参照。

20 同様の性質をもつ関数は他にもあるが、シグモイド関数には任意の実数で微分可能で、しかも導関数を比較的シンプルに書ける、という利点がある。

21 過去には綴り字改革が試みられたこともあったが、成功しなかった。この辺りの事情は（寺澤2008, **pp. 97–114**）を参照。

22 **NETtalk** の入力層は29個のニューロンからなるグループ7個で構成されている。各グループは一文字に対応し、各ニューロンはアルファベット（空白とピリオドを含む）に対応する。つまり、7文字の入力に対して、各グループから一つのニューロンが活性化する（1の値をとる）。他方、出力層は26個のニューロンで構成される。各ニューロンはアクセントや素性に対応しており、これらの組み合わせで音声（無音も含む）を符号化する。そして、中間層には試行錯誤の末に80個のニューロンが用いられた。

23 セイノフスキーらは、**NETtalk** は音韻論のルールに従っている（**rule-following**）が、**DECtalk** と違ってルールに基づいている（**rule-based**）わけではない、と述べている。

24 ここで用いられている分析手法は「階層クラスタリング」と呼ばれる。

25 NETtalk の音声は以下で聞くことができる。http://papers.cnl.salk.edu/~terry/NETtalk/nettalk.mp3

26 非単調論理については（Aldo-Antonelli 2004; 東条2006）などを参照。

27 2022年、グーグルは自然言語の曖昧な命令に対応するPaLM-SayCanというロボットを開発した。デモ動画には、人間が「飲み物をテーブルにこぼしてしまった。助けてくれ」と（英語で）言うと、ロボットが棚に向かっていき、スポンジをとりだして持ってくる様子が映っている。グーグルのオフィス内で行われた実験では、PaLM-SayCanは101の課題に対して84パーセントの割合で適切な行為を選んだという（Ahn *et al.* 2022）。しかし、PaLM-SayCanが置かれた限定的な状況では、フレーム問題の本来の複雑さは軽減されていると言えよう。

28 写真付きの旅行記録が以下のウェブページで読める。https://www.cs.cmu.edu/afs/cs/usr/tjochem/www/nhaa/nhaa_home_page.html

29 コネクショニズムが衰退した経緯はこれほど単純ではない。当事者のルカン自身、機械学習のコミュニティでニューラルネットワークへの関心が低下した原因は謎であり、科学史家や科学社会学者に解明してもらいたいと述べている（ルカン2021, p. 63）。

30 ミルフィーユの比喩は（ルカン2021）から拝借した。

31 たとえば、中間層が分厚くなると重みの調整が終わらなくなる（勾配消失問題）。

32 これは、中間層が一層のネットワークでもニューロンの数が十分に多ければどんな関数でも近似できるという事実（普遍近似定理）による。ディープニューラルネットワークがうまくいく理論的根拠は現実に成果が上がった後になって解析されはじめた（今泉2021）。

33 ImageNetはニューラルネットワークではなく画像のデータセットである。この名称は、WordNetという辞書に基づいて正解ラベルがつけられていることに由来する。

34　画像認識に関するディープラーニング前夜の研究状況については（井出・柳井2009）が参考になる。

35　AlexNetという名称はヒントンの指導学生アレックス・クリジェフスキーにちなむ。なお、ディープニューラルネットワークの層数はパラメータをもつ層のみを数えることになっており、入力層やプーリング層は数えない。AlexNetは5層の畳み込み層と3層の全結合層を合わせて8層である。

36　以下の説明は（杉山2022）を参考にした。

37　ベクトルの内積が参考になる。ベクトル同士の方向が似ているほど、内積は大きくなる。それと同じように、畳み込みの場合はフィルターと似た仕方で数値が並んでいる領域で値が大きくなる。

38　グーグルが提供しているTeachable Machineというサービスで画像認識ＡＩの機械学習が体験できる（https://teachablemachine.withgoogle.com/）。プログラミングの知識は不要である。

39　Ｖ1の単純細胞と複雑細胞については（カールソン2013, p. 190）を参照。

40　本章では、画像中に映っている物体を分類する一般物体認識の課題をもっぱら取り上げたが、これは画像認識の研究者が取り組んでいる課題のほんの一例である。他にも、複数の物体が映っている画像から個々の物体の位置を特定してラベルをつける物体検出、画像中の各画素がどのカテゴリーに属するかを判別するセグメンテーションなどがある。ディープラーニングはこれらの複雑な課題でも威力を発揮している。

41　アタリ（ATARI）は１９８０年代のアメリカで一時代を築いた伝説的ゲーム会社である。テレビゲームの黎明期からプレイステーションの登場までを描いたドキュメンタリー映画『世界を変えたテレビゲーム戦争』はアタリの関係者へのインタビューを含んでおり、当時の雰囲気をよく伝えている。

42　ＲＭは英語の音素を四つの次元で分類している。第一の次元では、すべての音素を閉鎖子音・継続子音・母音の三つに分ける。第二の次元では、閉鎖子音を鼻音・破裂音、継続子音を摩擦音・共鳴音、母音を舌の高・低の二つに分ける。第三の次元では、すべての音素を調音位置に関して前舌・中舌・後舌の三つに分ける。第四の次元では、子音を有声・無声、母音を長母音・短母音の二つに分ける。

43 この音韻ルールは過去形だけでなく過去分詞にも当てはまる。また、規則変化・不規則変化という区別は名詞の複数形にもあり、規則変化する名詞の語幹に付加される接尾辞 -s の発音も過去形の接尾辞 -ed と同型の音韻ルールに支配されている。このことは、動詞の過去形は屈折を包括的に処理するメカニズムに制御されていることを示唆する。

44 ə はあいまい母音（schwa）を表す。

45 この音韻ルールは既知のデータにみられるパターンを捉えるだけでなく、未知のデータの予測にも使える。たとえば、「バッハテスト」と呼ばれる実験がある。シェークスピア以来、英語には out-Herod Herod（残忍さでヘロデ王を凌駕する）のように、固有名に out- をつけて動詞句とする用法がある（寺澤2008, p. 81）。そこで、Mozart out-Bached Bach.（モーツァルトは対位法でバッハを凌駕した）という文を考える。Bach の最後の音は英語に存在しないが、ドイツ語ができる人にこの文を読ませたらどう発音するだろうか。ここでの音韻ルールに従うなら、Bach の最後の音は無声子音なので接尾辞 -ed は t と発音されると予測される。この予測は正しいことが確認できる。

46 日本語の例としては、「ふんいき／ふいんき」などの言い間違い、「あたらし／あらたし」などの言語変化が挙げられる。

47 以下のような改善案が考えられる（cf. Christiansen & Chater 1999; Bechtel & Abrahamson 2002, chap. 5）。

・RMのネットワークは奇妙な一般化を行うというのであれば、単純パーセプトロンの代わりに多層パーセプトロンを用いたらどうか。

・動詞の過去形は単一のネットワークで扱うには複雑すぎるというのであれば、複数のネットワークをモジュール的に組み合わせたらどうか。

・ウィッケルフォンによる音韻情報の符号化に問題があるなら、RNNなど、時系列データの扱いに適したネットワークを用いたらどうか。

48 ピンカーは「単語・ルール説（words and rules theory）」と呼んでいる。

49　厳密にいえば、ジェームズはタチアナを愛している可能性を考えられる人が、タチアナはジェームズを愛している可能性を「考えられないということはありえない」、というのがフォーダーらのポイントであり、彼らは、生産性と体系性を実現するネットワークを作れたとしても、生産性と体系性を実現しないネットワークも作れるので、問題は解決しないと論じる。しかし、そのような多重様相を説明しなければならないというのは議論の余地がある前提である。（Sterelny 1990, sec. 8.4; 戸田山2004）を参照。

50　ここでは詳細を述べなかったが、中間層のニューロンについても、「英国系」や「第一世代」といったわれわれに理解可能な解釈を施すことができる。

第二章

自然言語処理の現在——言語哲学を補助線として

1　ＡＩは言葉の意味を理解すると思いますか？

２０２３年現在、コンピュータに日本語で質問したり、言葉で描写した通りのイラストを描かせたり、外国語の文章を翻訳させることは身近になった。これはかなり最近になって実現した技術である。２０１５年時点で、著名なＡＩ研究者クリストファー・マニングは次のように述べていた。

> これまでのところ、音声認識や視覚における物体認識で見られたようなディープラーニングによる誤り率の劇的な低下は、高度なレベルの言語処理では見られていない。〔中略〕真に劇的な改善は純粋な信号処理の課題においてのみ可能だったのかもしれない。（Manning 2015）

ここでいう「誤り率の劇的な低下」は、２０１２年に開かれた画像認識コンテストILSVRCでAlexNetが優勝して以来、同大会の優勝者の誤認識率は毎年半分になったことなどをイメージしておけばよい（１章６－１節）。自然言語処理で同じような激変が生じるにはしばらく時間がかかった。通説では、２０１７年にグーグルの機械翻訳チームがトランスフォーマーというニューラルネットワークを開発したことですべてが変わった。コンピュータに高度な言語処理を行わせる見込みが出てきたのはこの頃からである。

いまやＡＩは言葉の意味を理解していると言っても差し支えないのではないか。そう感じる人は少なくないようだ。インターネットから無作為に抽出された男女約１０００人を対象に２０２０年に行われたアンケート調査によれば、回答者の半数近い47・6パーセントが現在のＡＩは言葉の意味を理解していると「誤答」した。[1] しかも、「ＡＩ」の意味を知っていると申告した者（ＡＩ認知度が高い回答者）の方がそうでない者（認知度が低い回答者）よりも誤答率が高かった。この調査報告書は、ＡＩ認知度の高い回答者はＡＩに対する理解が深いわけではなく、ＡＩに対して過剰な評価と期待を抱いている、と述べている。

しかし、現在のＡＩが言葉の意味を理解しているという回答をあっさり「誤答」と断じてよいのだろうか。ここで断っておくと、私自身は、現在のＡＩが言葉の意味を理解しているかどうかの二択を迫られれば、理解していないと答える側の人間である。それでも、この報告書の議論は軽率だと思う。

まず、47・6パーセントという数字は、正確には、「ＡＩは言葉の意味を理解している」という項目に「そう思う」と回答した10・0パーセントと「ややそう思う」と回答した37・6パーセントを合算している。こうした集計方法が常に悪いわけではないが、いまの場合は重要な情報を捨てていると思う。なぜなら、物事の理解は全か無かの問題ではなく、浅い理解から深い理解までさまざまな度合いを許容するのが一般的だからである。「ＡＩは言葉の意味を理解している」という項目に「ややそう思う」と回答した人々は、ＡＩは言葉の意味を人間と同じレベルで理解しているわけではないが、ある程度は理解している、理解していると言えそうな部分もあると考えているのかもしれない。この推測が正しければ、ＡＩの認知度が高いほど現在のＡＩは言葉の意味を理解していると回答したのもそれほど意外でない。彼らは現代のＡＩにどの程度の言語処理ができるのかをむしろよく把握していたのかもしれない。[2]

以上は些末な指摘である。もっと重要な疑問は、現在のＡＩが言葉の意味を理解しているというのが誤答だとすれば、それはなぜか、ということである。調査報告書は、誤答である理由を次のように説明している。

ＡＩアシスタントやチャットボットは言葉の意味を理解せずともふさわしい返答ができるように設計開発および学習されている。ＡＩは「リンゴ」と聞いて、ヒトのように「赤く甘酸っぱい果物」を思い出しているわけではない。

「言葉の意味を理解せずともふさわしい返答ができる」という表現は少しわかりにくいが、ＡＩが質問にふさわしい返答をしたとしても、言葉の意味を理解しているように「見える」だけであって、「本当に」理解しているわけではない、ということだろう。たとえば、現在のＡＩにウィキペディアの記事を読ませてそこに書いてあることを質問するとかなり正確に答えられるが、[3] その程度の質問応答は、電卓が数字の意味を理解せずに正しい結果を出力するのと同様に意味理解を必要としないのだ、と。

では、本物の意味理解と見かけ上の意味理解はどう区別されるのか。調査報告書は「ＡＩは「リンゴ」と聞いて、ヒトのように「赤く甘酸っぱい果物」を思い出しているわけではない」と述べている。「リンゴ」と聞いて赤く甘酸っぱい果物をイメージできるのが本当の理解であり、イメージできなければ見かけ上の理解でしかない、と。しかし、この説明は疑わしい。「リンゴ」と聞いて赤く甘酸っぱい果物を思い出せる人もいるだろうが、想像力に乏しい人は明確にイメージできないかもしれない。生まれつき目が見えない人は赤い果物をまったくイメージできないかもしれない。彼らは「リンゴ」の意味を理解していないのか。そんなことはないはずである。[4]

たしかに、現在のＡＩが見かけ上の理解しか持ち合わせていないという点には私も同意できる。しかし、そう指摘するだけでは現状を表面的にしか捉えていない。現在のＡＩはどんなメカニズムで質問に応答しているのか。そもそも言葉の意味とは何なのか。ＡＩが言葉の意味を理解しないという見解を正当に評価するには、こういった根本的な疑問に向き合う必要がある。それが本章の目的である。

「言葉の意味とは何か」という問題には二つの代表的なアプローチがある（Boleda & Herbelot

2016)。本章は前半と後半でそれぞれのアプローチを順に取り上げる。議論の大まかな流れは以下のようである。

一つ目は「真理条件意味論」である（2節）。論理学で用いられる人工言語の意味論から発展してきたこのアプローチは、文に代表される複雑な言語表現の意味を、それ以上分割できない基本単位（単語）の意味から厳格なルールに則って計算されるものとみなす。真理条件意味論は言語哲学者の間で人気が高い。実際、これはかなり筋の通った考え方で、反論にもよく持ちこたえる。しかし、それにもかかわらず、真理条件意味論が提供する意味観は最近の自然言語処理にほとんど貢献できなかった（3節）。

自然言語処理の分野で注目を集めている言葉の意味に対するアプローチは「意味の使用説」である。現在のＡＩが言語を処理するメカニズム（ニューラル言語モデル）は、意味の使用説の一種である「分布意味論」に基づいて生み出された（4節）。それでは、言語哲学者たちの多くは言葉の意味について見当違いをしていたのだろうか。必ずしもそうではないと私は思う。前章の最後で紹介した１９８０年代のコネクショニズム批判はいまだ有効であって、伝統的な言語学に照らしてみると分布意味論は問題を抱えている（5節）。そして、伝統的な言語学の見解を別にしても、現在のＡＩが言葉の意味を理解していることを疑うだけの証拠を集めることができる（6節）。